国家出版基金项目
NATIONAL PUBLICATION FOUNDATION

《三联经典文库》

第二辑

2012年国家出版基金项目

三联经典文库

173

性教育新论

布士克　雅各生　合著　　董秋斯　译

生活·讀書·新知 三联书店

图书在版编目(CIP)数据

性教育新论 / (德) 布士克, (德) 雅各生著；董秋斯译.
-- 北京：生活·读书·新知三联书店, 2014.1
（三联经典文库第二辑）
ISBN 978-7-108-04681-9

Ⅰ. ①性… Ⅱ. ①布… ②雅… ③董… Ⅲ. ①性学－文集
Ⅳ. ①C913.14-53

中国版本图书馆CIP数据核字(2013)第246463号

173 性教育新论

责任编辑	龚黔兰
封扉设计	蔡立国
责任印制	郝德华
出版发行	生活·讀書·新知 三联书店 (北京市东城区美术馆东街22号)
邮　　编	100010
经　　销	新华书店
印　　刷	北京鹏润伟业印刷有限公司
版　　次	2014年1月北京第1版　2014年1月北京第1次印刷
开　　本	787毫米×1092毫米 1/32　印张 7.375
字　　数	100千字
定　　价	27.00元

《三联经典文库》出版缘起

适逢生活·读书·新知三联书店八十华诞，为弘扬传统，接续文脉，回报读者，服务社会，我们决定策划出版《三联经典文库》。

1932年7月，生活书店在上海创办，此后，读书出版社和新知书店相继成立。本文库第一辑、第二辑所选图书，来自于这三家出版单位及其分支机构，以及1948年生活·读书·新知三联书店成立后的出版物，始于1932年，截至1951年，两辑各一百种。此为第二辑，涉及政治、经济、社会、军事、思想文化诸领域，涵盖专著、文集、散文、小说、诗歌、传记、报道等体裁，既有直面现实、追求真理、讴歌真善美、抨击假恶丑的原创作品，又有引介世界各国先进文化、传播新知、开启民智的迻译之作，真实记录了那一代知识分子的思考与探索、理想与愿景和对中华民族文化传承与创新所做出的努力与贡献。

本文库所辑入各书，多为名家名作，在版本方面，以初版一印本或经著译编者审定、修订、增订过的版本为首选，因此本文库又具有较为珍贵的版本价值和收藏价值。

本文库还将编选续辑，使之成为恢弘文化工程。诚挚希望读者给予批评和指正，帮助我们完善编选工作，再现三联经典作品之风采。殊为遗憾的是，由于年代久远，一些原著译编者及其后人未能取得联系并奉付稿酬，诚盼版权所有者与我们联系。祈愿三联前辈所创造的精神财富能薪火相传，为中华文化的伟大复兴增光添彩。

《三联经典文库》编辑委员会

2013 年 8 月

凡　例

一、本文库为重排本，由繁体字竖排版改为简体字横排版。

一、以忠实于原作、整旧如旧为编辑原则，对当时使用的专有名词、外文译名，以及民国时期的语言和特色予以保留。

一、原书注释如旧，编者所出的注释，均以“编者注”标明，以示与原书注释的区别。

一、对原书残缺或字迹漫漶之处，以□示代。

一、对繁简文本转换时的“如右”、“见左”一类，对应改为“如上（前）”、“见下（后）”。

一、对原书中各种错讹脱衍之处，直接订正，不再以其他符号标示。

一、对数字、标点符号的用法，在不损害原文语义的情况下，做必要的规范。

一、本文库各书均前插原书书影、原书版权页和文库版“本书出版说明”。

一、本书出版说明的撰写，以客观中立为原则，扼要介绍本书的内容、版本流转、著译编者的情况。

本书出版说明

本书在当年是一部有关性学及性教育新型观点的译著。

性学是生物之性生活和性行为的科学，不是一个界限分明的人类知识部门；而宗教家、教育家、法官乃至普通人群在日常工作与生活中都需要这样一种知识。因此，本书的目的不仅在传播关于性生活的正确知识，作者同时希望可以借此减少自然冲动和自然行为所受冤枉的责难，也可以阻止性冲动异常的人们受过分的道德的敌视。但也同样用力攻击性关系上的放纵和轻率。

本书由生活书店 1946 年 4 月初版于上海，1946 年 9 月再版，此次出版，即以此为底本。

本书为德国布士克（Buschke）和雅各生（Jacobsohn）两医学博士所作，经伊登 · 保罗和西达 · 保罗（Eden and Cedar Paul）两夫妇译成英文，现在的译本便是由英译本转译的。本书著者及英译者（曾有《资本论》行世）的具体情况不详。

董秋斯（1899-1969），原名董绍明，天津静海人。1926 年毕业于燕京大学哲学系，同年底参加北伐战争。1945 年开始发表作品。1949 年后，历任上海翻译工作者协会主席、《翻译》月刊主编、中国作协编审、《世界文学》副主编等职。主要译作有《大卫·科波菲尔》、《高原牛的家》、《战争与和平》、《杰克·伦敦传》、《红马驹》、《跪在上升的太阳下》、《卡尔 · 马克思》、《佳作》、《马背上的水手》和《烟草路》等。

生活 · 读书 · 新知三联书店

2013 年 8 月

生活书店 1946 年 9 月再版书影

原著者　布式克　雅各生合著

譯者　董秋斯

主編者　生活書店

發行人　徐伯昕

發行者　生活書店

上海·重慶

中華民國三十五年四月出版（二〇〇〇册）

中華民國三十五年九月再版（一〇〇〇册）

S〔37〕

原书版权页

目 次

插图目次

第一章　引言

性学，生物之性生活和性行为的科学，不是一个界限分明的人类知识部门，因为它的边缘涉入了哲学、生物学、医学、法学、政治经济学、统计学的领域。宗教家、教育家、法官在日常工作中都需要这样一种知识。但他们在这类问题上的无知之可悲的例子，是我们日见不鲜的。是故，本书的目的不仅在传播关于性生活的正确知识，也在防免法庭在性问题上措置失当所常造成的不幸。作者同时希望可以借此减少自然冲动和自然行为所受冤枉的责难，也可以阻止性冲动异常的人们所受过分的道德的敌视。但我们亦同样用力攻击性关系上的放纵和轻率——许多人认作青年人的权利的荒唐。

反乎二十年前流行的见解，现时常有人主张女人“随意满足其冲动”的权利不下于男人。过去把结婚前的性行为和不固定性质的和暂时性质的性关系看作男人的特权。那时流行的是所谓道德的“双重标准”：许可一个青年男人作的事，禁止一个青年女人去作。先前诚然有过向这种双重标准挑战的企图，也有过宣布女人可以与男人享受同等性自由的企图；但这些企图从来不曾得到普遍的拥护。在另一方面，有人想劝导青年人禁绝结婚前的性行为，持严格宗教见解的人们，以及想从大学学生中间获得信徒的人们，更主张“男性的清洁”。但大多数青年人，不拘所属的是上等阶级、中等阶级，或劳工阶级，对他们的性冲动都加以放任，或从公娼和私娼的拥抱中取得满足，或从“轧姘头”上取得满足，从事后者的人数比较少，性质也比较经久，但依然是不固定的。

在第一次世界大战中和战后时期，性关系的双重标准破除了，青年女人主张和实行与青年男人同等的自由。许可男人作的事，必须许可女人去作，许多在经济界和社会界争取女人的平等权利的人们，把这见解看作当然的结论。在理论和实行方面，还有许多别的造成变革的因素。过去十或十五年来[1]的经济波动（在德国因通货膨胀，情形格外严重），使得各阶级的青年男女，在远比往昔少受监视的状况下，发生比较密切的互相接触。此外，最古老的传统在许多别的方面都过了时，由于这一种认识，传统的性行为标准也不再受人重视。过去所谓“无节制之陶醉”在社会生活全领域蔓延开来；不再有抵制冲动的企图了；寻欢取乐成为普遍的了。因此，青年男人在寻求发生临时关系的异性上，不再有些微困难；结果，在新起的一代，多半把男女两性在早期纵欲上有同等权利这一点认作当然的了。这种观点的改变表现在公私生活上。例如，在过去十年间，少女少妇在衣服、化妆等方式上，过去认为适当的见解已经有一种逐渐的改变。中等阶级和劳工阶级的女人们追随流行风气，使用口红，当然不可以看作她们有意采取过去娼妓用来吸引男人的方法。在适应男伴的变态趣味之本能的愿望外，必然还有别的动机。在剪头发和着短裙方面，有一种便利的因素存在。话虽如此，在这些装饰的变革上，性的因素依旧是不可以忽视的。久而久之，我们觉

[1] 本书成于第二次世界大战前。——编者注

得，把社会生活中取决当否的习惯标准完全废除，就要达到无法容许的地步了。跳舞主要的是性自我表现和性自我防御的象征，它在节奏方面的乐趣不过是偶然的，但在我们现时所谈的时期，跳舞成为色情的了，那事实是那么显明，连并不拘谨的人也不得不把这种性的偏重看作病态的。此外，在大的经济紧张时期，把那么多的时间、精力、金钱用在跳舞上，也成为一个严重问题。也不应当忘记，过去用来使男女相识作为结婚之一个步骤的跳舞，现时却用来使他们相识以结成不固定的结婚以外的性关系了。

年纪比较大的一代人在目前亦染习青年人的风气，因为作父母的若不履行或容许现代的原则，恐怕会被人看作完全过时的了。结果是健康的模范的家庭生活日渐衰微。因此，作为社会交际特征的智能趣味和艺术趣味必然有了显著的减退。全部智能活动和艺术活动的园地确乎受了恶劣的影响。像这样对哲学完全缺乏兴趣的时期是历史上少见的。在音乐上，正如在别种艺术上，社会取一种纯然消极的态度。无线电和电影占据人的耳目，不需要人积极地参加。在家庭中，以及在私人宴会中，乐器音乐和唱歌现时已经成为例外的了。斗牌像流行病一般传播开来，过去以培养智能为主要任务的团体，也把斗牌当作主要兴趣了。真正诙谐的乐趣也几乎成为过去的东西了。讽刺、嘲笑，取笑一切，占了优势。连在学术团体里边，情形也并不更好。统观全体，必得承认，现时代已经创造了一种人类，十分缺乏注意力，缺乏回忆力，专在无节制的快乐追逐中寻求“错乱”。这倾向到处表现在结婚关系的松弛上，表现在不愿生育儿童上（有生育能力的母亲，虽然在体力健强、家境充裕的时候，也不肯生育），表现在男性精力的衰退上。

新起的一代人，由于注意运动，在体力发展方面，超过他们的前辈，这是不能否认的。不过在这问题上，他们依然显出过度的倾向和缺乏确定目的——纵然某一种运动，在代替不正当的性行为上，有其转移从事运动者的注意的价值。

本书作者深知现社会在经过一个特殊的过渡时期和转变时期。历史教训我们说，在大的战争和经济动乱以后，在那种过渡时期，堕落的现象格外容易表现在性生活的领域。在可怕的经济危机中，我们所有的人都感到生存斗争一天比一天艰苦，因了这缘故，清醒的态度或许要代替昏迷的态度。在我们的青年人中间，可能有若干倾向，主张男女两性应当有一种新的人生纪律。一种恢复健康运动或许正在开始。健全的性学知识和性卫生知识之广播，可以使这种恢复健康运动得到指导。本书作者主要的写作对象是青年男人，但在他们必须叙说的问题中，有许多话对青年女人会同样有用处，有教益。

第二章　男性生殖器官之构造及功用

阴茎共分三个部分：根部，在两腿中间的腹膜内；中部，即本体；前部，即龟头。龟头的后方有一个突出的边缘，名为冠状腺，边缘的后方，接连阴茎本体处，有一道沟子，名为龟头颈。在正常的情形下，龟头完全被一圈极端富于弹性的双层的皮包裹起来，这一圈皮完全没有脂肪，很容易褪上去。这一圈皮，名为包皮，与包裹阴茎本体的皮相连，上侧两方通下腹前方的皮，后方（当阴茎下垂时）通包裹睾丸的阴囊。包皮有时把龟头部分地露在外面，但有许多男人，当阴茎下垂时，包皮把龟头完全包裹起来。我们把这一圈皮分作外层和内层。外层与包裹本体的其他部分的皮相同，内层颇具有黏液膜的性质。在这器官的下方（下垂时的后方），包皮有系带在阴茎中缝与龟头相连。在包皮内层、冠缘、龟头颈中，有无数名为蒂孙腺（Tyson's glands）的皮脂腺。这些皮脂腺分泌一种东西，与剥落的上皮细胞混合起来，积存在龟头颈中。这种东西名为包皮垢脂，有一种特殊气味。龟头包皮是很薄的，与下方的细胞组织坚固相连。有一些人，阴茎软垂时，包皮完全把龟头包起，他们的包皮是潮湿的，光滑的。也有一些人，龟头永远露在外边，或由于包皮短，或由于被割除，因此他们的包皮是干燥的，比较厚的。在性交行为上，在性交快感的发生上，在生育作用上，阴茎的海绵体或勃起组织具有无上的重要。这种海绵体一共有三个，一个居中，名为尿道海绵体，密切地包围前尿道（尿和精由以射出的管子），其他两个成双地伏在尿道前方（当阴茎下垂时）。后两个名为阴茎海绵体。尿道前端的孔，名为尿道孔，在龟头的顶端。尿道海绵体形成龟头的主要本质。海绵体由耻骨下方阴茎根部向前伸入阴茎本体。这些海绵体具有海绵性质的结缔组织，并在其间隙中含有大的静脉空间。当阴茎软垂时，其中含有很少的血；但一旦发生性的紧张，一种相当复杂的神经机体和筋肉机体起了作用，结果比先前更多的血流入海绵体，血的流出受

第一幅　男性生殖器官

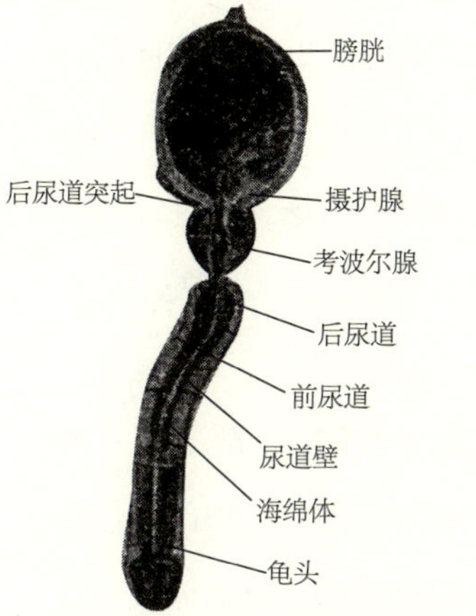

图一　膀胱与尿道（除去海绵体上部分部分）

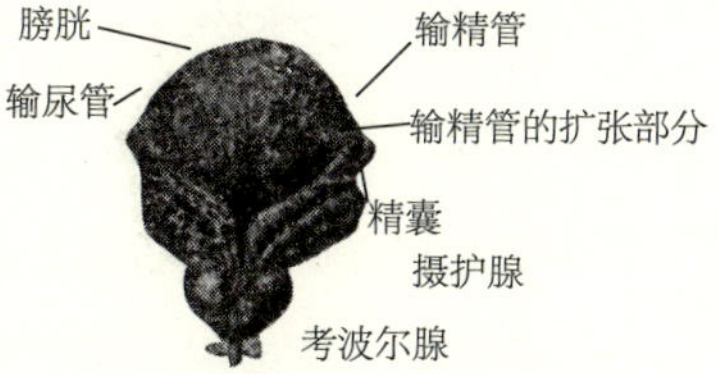

膀胱（从后面看）

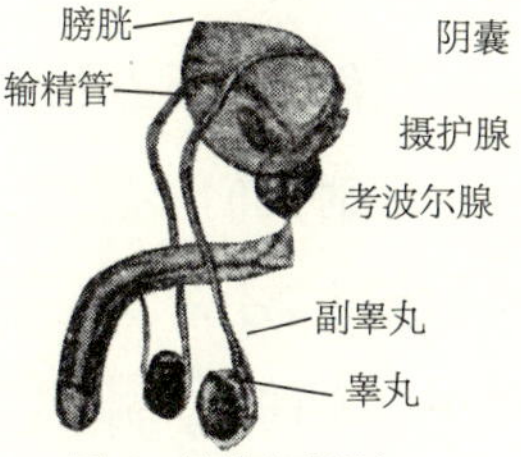

图二　男性生殖器官

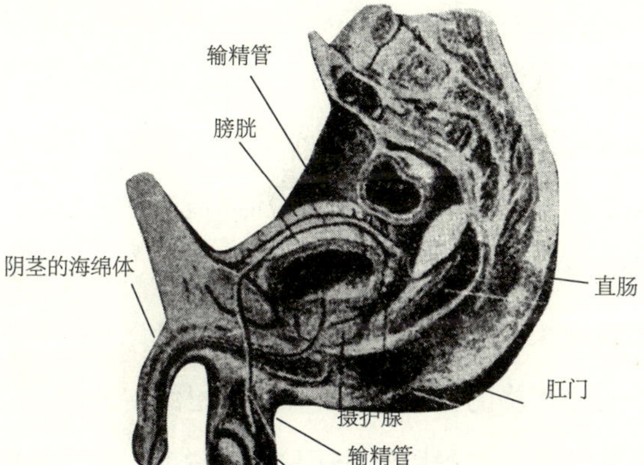

图三　男性骨盘器官中断面

（原图藏德勒斯登的德国卫生博物馆）

了阻止，它们终于强烈地膨胀起来。于是阴茎变得硬而又直，不再是下垂的了，这大大的胀起的器官伸向前方和上方。这过程名为勃起过程，乃是男性器官插入女性阴道的重要前提。阴茎和相连器官的疾病，或神经兴奋过程的失调，可以使这种勃起机体发生障碍，关于这一点，我们留待适当的地方叙述。

现时我们要叙述男性生殖器官不加以解剖便看不见的那些部分了。尿道通过耻骨下方的阴茎根部，然后向上直入骨盘。到这里已经没有海绵体，海绵体唯一的功用是使阴茎可以勃起。尿道的上一部分，名为后尿道，只有几公分长，止于膀胱。尿道的其他两部分为会阴尿道（在两腿之间）和阴茎尿道。后尿道通会阴尿道处由强有力的括约肌围绕，受意志的控制，但可能在不自觉的神经刺激下弛缓下来。后尿道通膀胱处有一束比较少力的筋肉纤维，不受意志的控制，但当尿量增多时，这一束筋肉便自然听命。本书作者深知前面的叙述不全合于严格的科学要求，但经验已经告诉我们，对于普通的读者，这里所作关于尿道的说明，较之严格的科学的叙述，更容易了解。在尿道的摄护腺部分的后壁上有一个突向内部的小突起（verumontanum 或 colliculus seminalis），其中有一个窦，名为摄护腺的杯形窦。这构造的全部有时被唤作男性子宫，因为这是一种与女性子宫相同的不完全的构造，两者都来自初期两性未分的胚胎的同一细胞。在这个窦通后尿道处，两边各有一个小裂口，睾丸和他种副腺所分泌的精液由这两个小裂口进入尿道。实际上，这两个裂口是输精管的终口。围绕后尿道的摄护腺的分泌管也在这地方开口。撒尿时，尿当然从突起上流过。尿从肾脏分泌出来，从肾脏小管流入两边的叶骨（membranous pelvis），从输尿管流下，然后由两个裂缝一般的孔进入膀胱。看一看本书的附图，可以更能明了这种种关系。我们希望，读者现时可以清清楚楚地知道，尿由肾脏分泌出来，由输尿管流入膀胱，然后由尿道流出外界；也可以知道，精液（其最重要的成分在睾丸中形成）从输精管经过突起流入尿道，然后由会阴尿道和阴茎尿道（精液和尿的共同出路）射出来。现在我们谈一谈睾丸吧。

每一个正常的男人有两个睾丸，贮藏在阴囊里边。这是腹部下皮突出的部分，是由胎儿的睾丸的下降造成

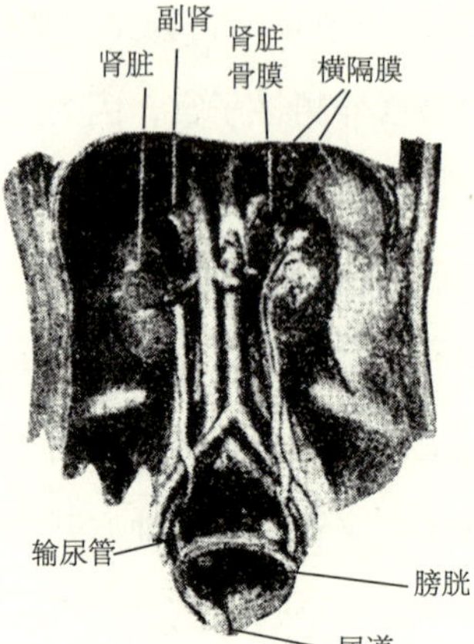

图四　泌尿器官和左肾断面

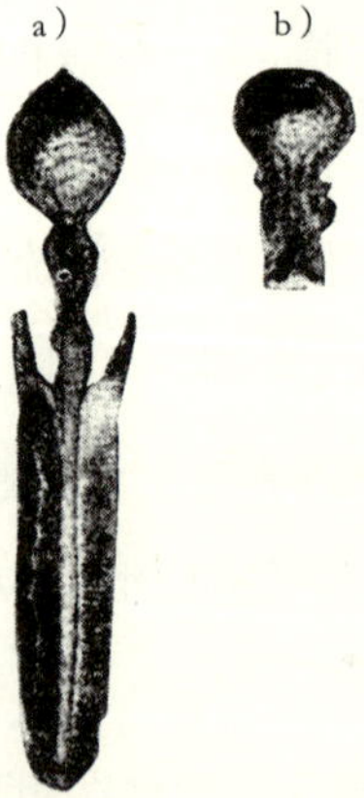

图五　膀胱与尿道　a. 男性的　b. 女性的

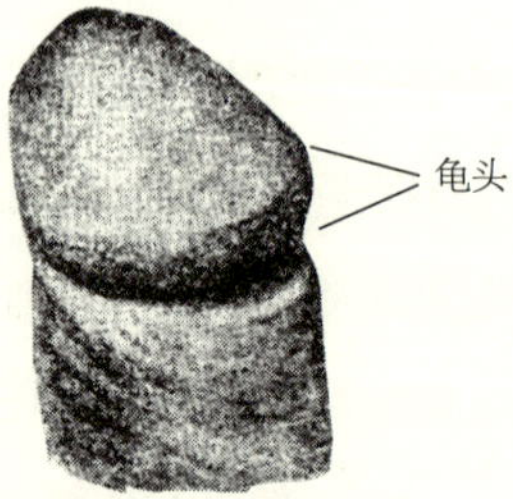

图六　阴茎与龟头

（原图藏德勒斯登的德国卫生博物馆）

的。胎儿的睾丸在降生前几个月内下坠，未坠之前，停留在脊骨两旁的腹腔内。在子宫内的发展的某一阶段，一种“生殖突起”(genital pominence)在下腹部两边出现。后来这两个突起沿中线结成阴囊，左右睾丸由两边的鼠蹊管坠入其中。阴囊的中线有一道脊，便是那两个生殖突起的结合处，终生存留。

睾丸是卵圆形的，侧面略见扁平。大小略如千鸟(plover) 卵。上后两方与名叫副睾丸的辅助构造相通，副睾丸形成睾丸的一顶便帽。副睾丸与输精管相连。输精管向上行，成为复合构造的一部分，名为精带，经由鼠蹊管进入腹腔，最后，如前边所说，通入后尿道。但在达到最后出口以前，有一条管子，通横在膀胱下面的一个无口囊。这个无口囊名为精囊。先前大家以为，精囊的唯一功用是储蓄睾丸的分泌物，但事实上，这是一些独立的腺，分泌一种具有特殊气味的蛋白质液体。这些腺的分泌管与输精管合成一条共同的管子，因此，睾丸分泌在进入后尿道以前与精囊分泌混合起来。在射精时，后尿道另有一种重要成分加入精液中。我们所指的是摄护腺分泌。摄护腺易受淋病传染，可以用按摩或肛门传热医治。很少患尿道传染病和摄护腺传染病的人知道这一带地方解剖学上的关系。

插图第一幅第三图表明摄护腺所在的地位怎样与后尿道、直肠、膀胱底部相关。摄护腺的体积与一只胡桃相当，并不完全围绕摄护腺尿道，主要的位置在后方，沿尿道伸向前方。该图清楚表明，外科医生的手指伸入直肠，便可以考查摄护腺背部，把它压向后尿道。摄护腺含有大量腺质小管，形成一种乳状分泌，如前面所说，由突起两侧的无数小孔输入后尿道，在射精时，与精液的他种成分混合起来。摄护腺分泌在精虫的适当活动上是绝对不可少的。我们可以顺便提一提，摄护腺在老年容易肿胀和硬化，因而阻塞尿道，如不使用导尿管，施行外科手术，或他种外科治疗，便撒不出尿来了。

现时我们要谈睾丸的详细构造了。假如你把睾丸之一在长轴处切开，你便看见，在切面的表面上，有一些股形成膈膜的结缔组织，这些膈膜沿睾丸后缘结合起来，构成一丛厚密的结缔组织，名为海穆尔体（Highmore's body）。在膈膜中间的睾丸细胞组织中，我们可以用肉眼看见一些扭曲的管子，这便是所谓生精小管。这些生精小管，如前边所说，最后合成副睾丸，在这些小管中，有一种由它们的管壁造成的分泌物，这乃是精液最重要的成分。在显微镜下，我们发现，这种分泌满有名为精虫的男性生殖成分。当我们从射出的精液中考查这些精虫时（高度放大之后），我们看出这些精虫有一个卵圆的头，一个颈，一个不断活动的长尾——一种驱逐这小动物游来游去的鞭梢。精虫是一种复杂的发展过程的最后产物，这种过程在贴衬生精小管的细胞中进行。在静止状态，副睾丸由几层圆形细胞合成；但当精虫组成积极进行时，这些细胞分为两类细胞：形成给养组织的塞托里细胞（cells of Sertoli）和精原细胞（spermatogonia）。在性的成熟时期，后者继续把每一个分成两个精祖细胞（spermatocytes），主要的和次要的，由这两个形成雄精体（spermatids），然后由这些形成精虫。在生精小管中间，还有一组一组的别种细胞，名为李狄革细胞（Leydig's cells）。这些细胞构成斯坦纳哈（Steinach）所谓"青春腺"（puberty gland）的东西，它们的重要性已经由这位奥国的研究者及其门徒在关于返老还童的讨论中提出来。依据斯坦纳哈的学说，李狄革细胞构成一种器官，这种器官的活动在身体、精神和性的发展上有一种重大影响，同时，性力的衰退和老年的到来，据推测，主要由于这些细胞停止活动。事实上，“青春腺”被看作内分泌腺的一种，以所产生的物质注入血中的那些内分泌腺的一种，与其他各腺（如副肾腺、粘液腺、睾丸荷尔蒙）的内分泌交互作用，不仅在性生活上，也在个人的性格上发生重大的影响。别种改变营养、限制发长等的重要内分泌腺是甲状腺、胰脏里边的产生岛精的郎格汉斯岛（islands of Langerhans）。关于内分泌学，我们后边还要谈一谈，想把这方面的科学实际获得从幻想的产物中分别出来。

为要使读者明了男性生殖器官的功用，我们须要把已经提过的解剖学上的一些小节目加以申述。

前边已经说过，尿道通过全部阴茎，包含三个部分。最上部分，后尿道，位置在骨盘内，也叫作“摄护腺尿道”，因为有一部分被摄护腺包裹起来。这一部分的上下两端周围有括约肌，下端的比较有力。尿道向下方向前方过渡为会阴尿道，位置在耻骨内，在阴茎根部被会阴筋肉所包裹。尿道的下部，最长的部分，含在阴茎的

第三幅　男性生殖器官（续）

图七　男性尿道的黏液膜

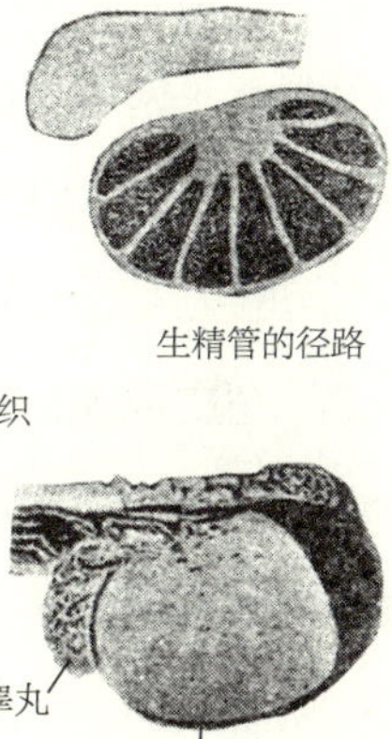

图八　睾丸的构造

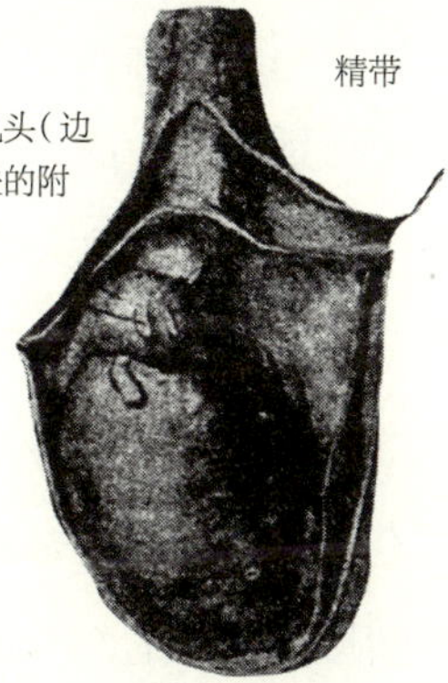

图九　右睾丸和副睾丸（从左边看，被膜已裂开）

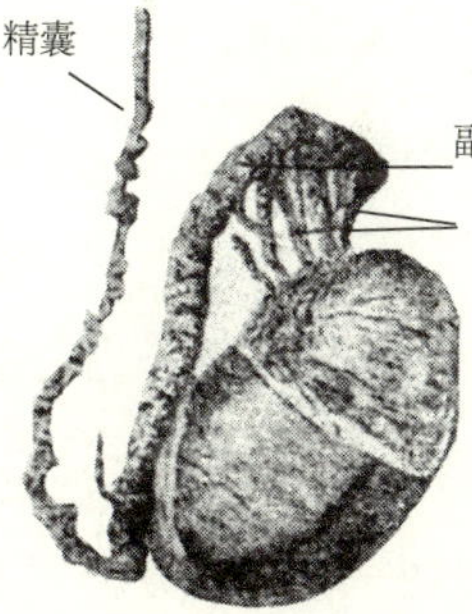

图十　右睾丸（已切去一部分）和除去被膜的副睾丸

（原图藏德勒斯登的德国卫生博物馆）

自由部分里边。阴茎在不紧张的状况下是下垂的，大约四吋长。在紧张起来时，阴茎是圆筒形的，在生殖行动中，胀得几乎塞满女性的阴道。让我们再来说一遍，阴茎的皮是很薄的，没有脂肪，没有毛；延展为双层的包皮，遮起龟头颈和龟头。在包皮中，在阴茎下方的中间，有一叠三角皮或膜，连结包皮和龟头，名为系带。系带多少限制包皮退缩，与阴核的系带相当。阴核要到说明女性生殖器官时再谈。目前但要说一句，女性的阴核与男性的阴茎相同，不过小得多。包皮内面和龟头颈的皮脂腺，有人会分泌大量垢脂，假如由于包皮退缩不充分而保留下来，可以引起发炎。包皮和龟头颈应当常常洗涤，以防止发炎，这一类的发炎可延及龟头皮，造成龟头炎（Balanitis）。不过，垢脂的积留，不是龟头炎唯一的原因，花柳病或别种形式的细菌传染都可以引起龟头炎。在这里最好提一提，在性的方面成熟了的男人，包皮中，特别沿龟头颈处，时常有直径五十分之一吋到二十五分之一吋的小突起。这种情形是正常的，不是病态的，但在春情发动期以前不会发现。在某一些动物身上，这种突起比人类的大得多，在豚鼠的阴茎上构成“刺”，在许多猿猴、牝猫等的阴茎上，则有齿状的突起。男人的突起见插图第二幅第六图。在人类身上，这些突起没有重要功用，不过是残余的，像盲肠和尾间骨一样。

阴茎皮具有大量的神经，在龟头上尤其如此，那里有一幅具有无数神经末梢的神经纤维网。它们的功用是接受和传递性刺激，由于一种反射的机体，性刺激使海绵体充血，因而使阴茎勃起。勃起不能由意志直接造成；只能由阴茎的机械刺激引起，或由精神中出现的性影像引起。此外，作为原因不明的刺激的结果，勃起也可以自动发生。这种勃起或由于某种内分泌，这种内分泌在血液中循环，可能刺激脊髓的性中枢。阴茎附属构造发炎有时可以引起勃起。例如，当精囊因淋病发炎时，可以发生顽强的痛苦的勃起。因白血球大量增加而有的白血病，也容易引起恒久而痛苦的勃起。持久的勃起也可以是脊髓受伤和患病的结果。这种持久的无目的的勃起的专门名字是普利阿布斯症（Priapism）。普利阿布斯（priapus）是希腊的收获神，他的像便是以勃起的阴茎来代表的。由淋病、痛风症、动脉硬化症造成的海绵体局部发炎，可能把流入的血封闭在海绵体的静脉中，因此，当阴茎勃起时，它偏入或此或彼的方向。根本原因（淋病、痛风症，等等）的对治可以不说，镭锭的局部治疗可能于某一些病人有益；但有许多病情是不能治愈的。达到性的成熟的年龄的男人，早晨醒来时，时常有勃起的现象，这一类的勃起是反应膀胱的满胀所起的刺激的。此外，大便时用力有时也可以引起勃起，特别当直肠内含有大量的粪时，精囊和尿道受了压挤，便可以引起勃起。更要提一句，温暖可以促成勃起，寒冷可以妨碍勃起。即使一个人在强烈性冲动的状况下，极端的寒冷也可以使勃起成为不可能的。

阴茎在勃起时由细小的下垂的绵软的器官一变而为大得多的硬绷绷的构造，因此可以插入女性阴道，以便射精时把精液留在阴道上端的子宫口。勃起的阴茎有一点弯曲，恰好与阴道的曲处相合。在正常的情形下，勃起是暂时的，阴茎的弛缓（因海绵体变空而解脱），或由于射精，或由于勃起机体的疲劳，或由于注意力转向性以外的事上去。

会阴外有成双的腺，名为考波尔腺（Cowper's glands），这些腺的管子通尿道的会阴部分，在阴茎尿道的黏液膜中，有无数小黏液腺（黎特腺和摩加尼孔）。在性兴奋的状况下，这些不同的腺分泌一种稀薄的黏液，从尿道孔中流出。据推想，这种黏液的用处是使阴茎滑润，以便贯入阴道。由于尿的酸性，尿道中平常的反应是酸性的，但尿道中黏液腺的分泌是碱性的，因而把尿酸中和。同时，能使尿道内部滑润，以便射精。有许多人，在完全勃起以前，黏液便流出来（由于性的兴奋），因而为这情形吃惊，以为这是一种病态的漏精，或是一种花柳病象。可靠的医学检验立即可以使他们安心。

当阴茎勃起时，比先前大出四五倍。这一种胀大自然而然地使包皮退后，把龟头露出。尿道也同等加长，由一道皱缩的管子变为内部光滑的管子。造成勃起的海绵体膨胀，一部分由于静脉扩张，流入阴茎的血液增多；一部分由于某一些筋肉的收缩，把阴茎的主要血管（在阴茎背部，显然可见）压向耻骨的结合处，因而使血液不能外流。

当勃起达到充分程度、插入阴道之后，男性器官在阴道中来回的动作，产生一种兴奋，在阴茎敏感的皮肤中神经末梢的刺激下，反射的神经机体的活动，使会阴筋肉和尿道筋肉抽缩起来，于是，沿输精管流下、在后尿道与阴囊和摄护腺分泌混合的精液，有力地射入阴道，快感的顶点相伴而来。这时节，性的兴奋达于全体，达于神经系“自动”部分所管辖的全体。(“自动”——autonomic，是独立的意思，与神经系受意志控制的部分对立)。瞳仁扩大，皮肤变红，心脏跳得快而有力，呼吸也加快，发出微汗，四肢像转筋一般伸张，这一种松弛也影响内部器官，有许多人撒出大量的尿。不过，过不多久，一种精神的和肉体的平衡便恢复了。

我们现时应当提一提不自觉的出精了，特别是所谓梦遗（在睡眠中或半醒状态下的射精），因为指明这并非病态的事实是重要的。在性的方面成熟的男人，随时可以发生这种现象，刚过青春发动期后的少年格外来得频繁。这情形发生在午夜以后，那时膨胀的精囊、充满的膀胱以及常有的充满的直肠发出一种总的刺激。这一类的梦遗几乎总在一场好梦的顶点发生，当射精发生时，睡眠者部分地从梦中醒来。性力正常、度禁欲生活的男人，每星期或每十天有一次梦遗，是完全正常的。

不自觉的射精，只有在青春发动期以前，来得太频繁，在醒时不在梦时，或与生殖器官某种变态情况相连，才是病态的。神经衰弱的人，衣服略一摩擦阴茎，火车、电车或汽车的摇动，骑马，体操，都可以引起病态的射精。快乐的思想有时也可以引起射精。没有勃起现象便流出几滴精液，也是病态的。在结束本章时，我们可以提一提，突然死掉的性力强盛的男人，特别是受绞刑的人，在死的恐怖下，时常发生射精。中世纪关于曼陀罗（据说这种花在绞架下特别茂盛）及其促进生育的力量的传说，便是这种心理学上的事实的表现。

第三章　精液

在性的方面成熟了的男性所射出的正常的精液，是一种胶黏的液体，外表是乳形的、透明的。就化学的成分来说，精液具有各种蛋白质和脂肪一般的含氮质、黏液、胆汁精。精液射出不久，名为赐保命（spermin）的东西便在液体中形成结晶体。据说，精液中的青鱼气息便是由这种赐保命发出的。彼得格勒的研究家封·保罗（von pöhl）发现，赐保命对人体的新陈代谢具有刺激作用。樊德维尔（van de Velde）以为，由阴道吸收赐保命，可能在女人身上起一种滋补作用。不过，这问题还有讨论的余地。关于赐保命，我们所确定知道的是，这东西不来自睾丸的分泌。实际上，我们发现，我们可以从精虫比较少的精液中，得到比较多的赐保命结晶体。

在人类精液中，每一立方公分大约有六千万精虫，

第四幅　男性生殖器官（续）

睾丸体的断面

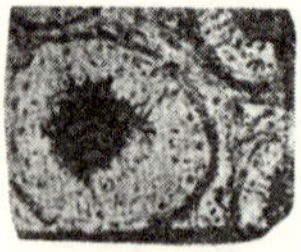

生精管的横断面

同旋的生精管壁的断面

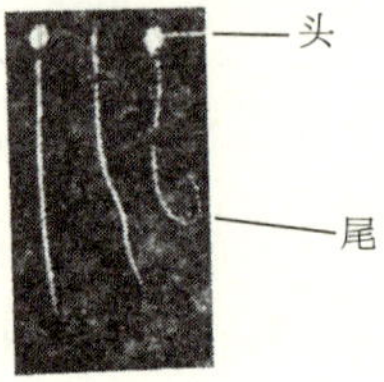

精虫

图十一到十四　睾丸的详细构造

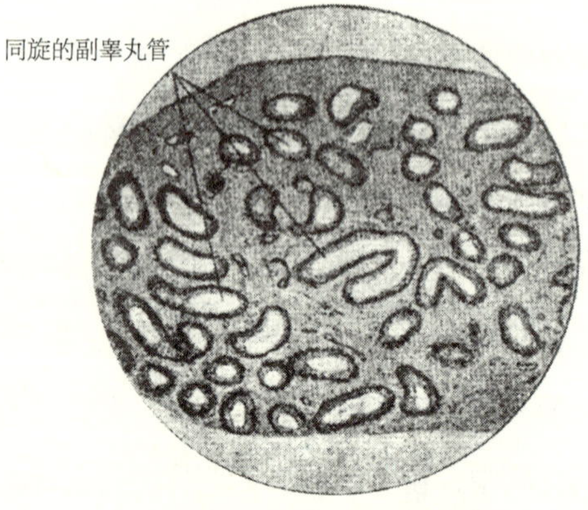

图十五　副睾丸放大了的断面

（原图藏德勒斯登的德国卫生博物馆）

所以在一次正常的射精中（三至八立方公分），可以有五亿精虫。精虫由衬在生精小管里的某种细胞生出来，关于那种长而复杂的发展过程，前面一章中已经说得不少了。成长的精虫的长度，包括头、项、尾三部，为五至六千分之一公厘。从上面看，头是椭圆形的，但从侧面看，却大致是梨圆形的。精虫在睾丸里是没有动作的，据推测，借了不随意筋肉纤维的收缩，由睾丸本部进入副睾丸。在副睾丸中，小管与生纤毛的上皮细胞相连，这是说，细胞具有鞭梢一般的突出物，鞭梢不断向出口摇摆。副睾丸的分泌中加入了液体，由于纤毛的运动和不随意筋肉纤维的收缩，精液移向上方。在沿输精管前进的过程中，精虫自发的运动开始了。在尿道中，在射精行动中，睾丸分泌与摄护腺分泌混合起来。前边已经说过，摄护腺分泌大大地加强精虫的活动。

精囊不止是储蓄精液的地方（许多哺乳动物没有这种器官），因为衬在里边的黏液膜也供给精液以特殊的分泌。假如把输精管扎起，或因发炎阻塞，或受了阉割，这种分泌依旧形成。精囊衬里细胞的分泌是黏性的淡黄色的东西，射出的精液具有特殊的黏性，这种分泌大概是其主要原因之一。这种黏性是暂时的，一旦精囊所供给的小块（像西米粒）破裂，在精液中溶解，黏性便消失了。精囊分泌具有怎样重要性，我们实际上并不知道。许多著作家相信，这种东西可以增加精虫的活动。也有人以为，精囊的主要功用是睾丸分泌的补充储蓄器，睾丸分泌通常储藏在精胞中，便是输精管之顶针形的扩大处。

摄护腺含有三十到五十个管状腺，还有大量不随意筋肉纤维，这些纤维可以把摄护腺分泌排入尿道中。摄护腺的筋肉组织与遮蔽精囊的不随意筋肉组织互相关联，因此，在射精时，摄护腺管和精囊同时倾其所有于后尿道中。正常的摄护腺分泌有一种乳汁现象。在蛋白质和脂肪之外，其中含有中性磷酸钙的微点，凝结在脱落的表皮细胞周围，名为淀粉体。摄护腺分泌冲淡精液，增加精虫的活动。此外，精液的特殊气息似乎由于与摄护腺分泌的混合，假定如此，我们可以断定赐保命来自摄护腺。摄护腺分泌平时很少，但在性的意念和刺激的影响下，可以大量地增加。

由此可知，射出的精液是一种极端复杂的液体，在精虫和睾丸本体生出的液体之外，含有副睾丸、精囊、摄护腺、考波尔腺、前尿道的黏液腺所供给的成分。

男性生殖腺注入血中的内分泌（与形成射出的精液的外分泌相对，故称内分泌），即荷尔蒙，在男性精神和肉体的平衡上，在其工作能力和一般效能上，最要紧的在其对异性的追求上，具有无上的重要。在春情发动期，在睾丸“成熟”时，不仅精液的分泌开始，与性荷尔蒙的形成同时，少年人变成了青年人。当睾丸开始衰老时，当其分泌的数量显著减少时，肉体（时常连精神），开始显出老年的迹象。次要性特征的出现，便是，男性特有的骨骼和筋肉的发展，“倒”嗓，生胡子，等等，都由于这些荷尔蒙的活动。关于内分泌学上某一些比较多争论的问题，我们不能仔细讨论，但是结束本章时，可以提一提，有一些研究者认为，男性次要性特征的发展，不完全由于睾丸所分泌的荷尔蒙，他们相信，副睾丸、摄护腺、精囊所生出的东西都有其作用。

第四章　女性生殖器官的解剖

在女人方面，正如在男人方面，我们必须分别内部生殖器官与外部生殖器官。在男人方面，尿道是尿和精液的共同出路。在女人方面，大小阴唇把尿道和阴道不同的出口掩藏起来，这两个口子都藏在阴户以内（参考插图第五幅，第十六图），大阴唇是两大叠皮，上面生有硬毛，富有皮脂腺。在少女和年纪比较大的处女，大阴唇闭得很紧，结了婚的女人，特别是生过孩子的，阴户便常裂开一点。在腹壁的下部，在大阴唇上方相交处，皮下有一块脂肪，形成一个高阜，在性的方面成熟了的女人，那上面生有密密的毛——耻骨毛。这个高阜名为阴阜。在大阴唇的下方和后方，也由一叠生在肛门前的皮连起来。在大阴唇里边，有比较小的两叠皮，名为小阴唇，在前中线结合起来，其前方末端在阴核周围裂开。前边已经说过，阴核是与阴茎相当的，不过小得多了，也不像男人那样被尿道穿过。尿道孔在阴核后不远处，再向后去，如果是处女，我们可以看见名为处女膜的膜。处女膜的样子各不相同，但大多数是一叠半月形的黏液膜，与遮蔽小阴唇的黏液膜在顶端与前方相连。在正常的情形下，中央有一个孔，阴道孔，但有时是筛状的（所有的不止一个大孔，乃是许多小孔）；比较少见的是完全没有孔（是为无孔的处女膜）。处女膜在第一次性交时破裂，破膜的残余最后萎缩得一无所有，只留下一个细小的退化器官，名为桃金娘状突起。处女膜是人类特具的，连最与人类相关的类人猿也没有。名为巴多林腺（Bartholin's glands）的成双的腺，伏在阴道孔两旁的黏液膜下。这些腺生出一种黏液分泌，在性兴奋的情形下，分泌得格外多，借以滑润阴道孔，便利插入。在小阴唇内面，也散布有皮脂腺。

男人的尿道大约有八吋长，女人的尿道就短得多，只有一吋多一点。尿道向内通耻骨的穹窿下的膀胱。如我们在插图第五幅所见，阴道（女性生殖通路的下部）在尿道的后方和下方。阴道是一种膜状通路，在处女时代，外端由处女膜部分地封闭起来，上端则由子宫颈突入。子宫颈中央有一个孔，便是子宫口。因此阴道上端形成一种穹窿，子宫颈突入其中，子宫颈前方的穹窿部分名为前穹窿，子宫颈后方部分名为后穹窿。阴道前方是尿道和膀胱，后方是直肠。

阴道的正常长度大约有三吋半。衬在里边的黏液膜现出无数横脊。阴道并不是一条通畅的管子，虽然图上时常画成那样子。阴道是扁平的，有一面前壁，一面后壁，非经人工分开（如性交行为等），这两面壁是密合无间的。壁中含有弹性的筋肉的纤维，可以扩张开来。在阴道口周围，筋肉纤维集中起来，形成一种括约肌。据樊德维尔说，有一些女人，经过练习，可以随意控制这种括约筋肉的活动，也可以控制与性的顶点有关的骨盘上的其他筋肉。

衬在阴道里的黏液膜是浅红色的，很薄的。其中没有腺，只有黏液细胞，分泌不多的流质，在其他成分之外，含有乳酸。阴道黏液膜不是免菌的，连健康的女人，也常滋长各种微生物。在正常的情形下，这些种微生物不仅无害，而且有益。乳酸助长有益的有机体，防止有

第五幅　女性生殖器官

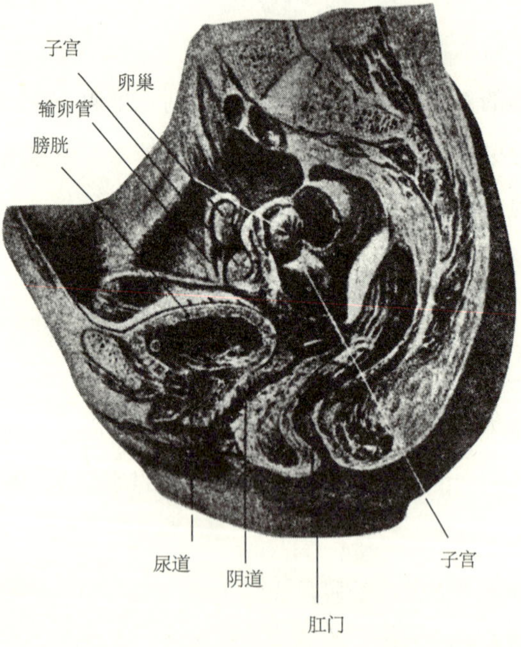

图十六　女性骨盘器官的中断面

（原图藏德勒斯登的德国卫生博物馆）

害的有机体（易致加答尔和别种炎症的）。在年纪大的女人，阴道逐渐变得失去弹性；它的通路变狭了，两壁变薄了；黏液膜硬化了，有时竟破裂了。阴道的长度、口径、扩张性相差得很大，不仅因年龄而不同，也因怀孕的次数而不同。

子宫是一个主要由筋肉合成的器官，样子和体积大致像一个小梨。我们已经叙述过，子宫颈怎样向下伸入阴道穹窿。子宫下余的部分，便是子宫的本体，位置在腹腔内。子宫是空洞的东西，它的出口，如前边所说，经由子宫颈通阴道。子宫体内空洞，上宽下窄，形成一个三角，上方两角各有输卵管相通。卵由输卵管进入子宫内部。输卵管的上端每一端形成一个喇叭口，自由通入腹腔。喇叭口末端有一道一道的脊，名为输卵管伞（见插图第六幅）。样子有一点像一种有须的根，与名为山萝卜的植物根相似。因为这个缘故，早年的解剖学家（他们都是夏季植物学家），把输卵管伞状的末端唤作“山萝卜”。虽然输卵管不直接与卵巢相连，它在腹内的上孔却密接这个腺，结果，在正常的情形下，当一个卵由卵巢脱出时，便进入输卵管，在那里受胎，假如不能受胎，便进入子宫，然后排出体外。卵不进入输卵管，即误入腹腔，这种情形是很少有的。因为精虫可以由输卵管进入腹腔，那样一个卵便可以受胎，于是会发生子宫外的怀孕。这种可怕的子宫外怀孕，有一种比较常见的形式，便是，一个卵受胎之后，未能进入子宫腔。关于这种“输卵管怀孕”问题，我们后面还要谈。

女性生殖器官，卵巢，正如睾丸，有两个。每一个都是扁平的卵圆形的东西，长由一吋到二吋，宽由四分之三吋到一吋多一点，厚由五分之一吋到五分之三吋。它们位置在子宫两旁，与输卵管的伞形末端相近。一看插图第六幅第十七图，便可以明了。卵巢内部有其重要的生殖成分，在发展的最初阶段，名为原囊。这些原囊在初生女孩的卵巢中已经存在，由几层细胞的壁包围，其中有一种浓厚的液体，卵或卵细胞在里面漂浮。在春情发动期，这些原囊的体积显著增加，何时其中一个成熟，便从卵巢的圆面中突出。当它们达到相当成熟的程度，这些原囊便改称作卵胞（Graafian follicles）了。卵胞里的卵不比一粒沙大，肉眼仅能看得见。它的细微构造已经用显微镜查出来。它有一层白色的闪光的透明的包裹，名为透明带；有一个盛有淋巴的空洞；还有一个粒状原形质或卵黄。其中凸出的东西是细胞核，在强力的显微镜下，可以看见其中有一个小细胞，是为核仁。正如精虫从睾丸细胞中发展出来，卵从卵巢细胞发展出来，经过一个中间阶段，在那一个阶段，那些细胞被唤作卵原细胞。从春情发动期起，经过活泼的性生活时期，每四个星期，左卵巢或右卵巢（左右轮流）因充血而胀大，卵胞中的卵长大成熟。

原囊在胎儿生活比较早的时期便在卵巢内出现了，新生女婴在降生时体内约有四万这一类的原囊。其中只有一小部分成熟为卵胞，在春情发动期以前是不能受胎的。在欧洲民族和温带中，春情发动期在十四岁左右开始。卵胞成熟的全过程名为卵程（ovulation）。在成熟的顶点，卵胞破裂，卵进入输卵管。此后破坏的卵胞的细胞发展成一种极端重要的器官，便是黄体（corpus luteum）。

输卵管内衬有带毛的黏液膜（前边已经说过），这些毛不断地向子宫波动，逐渐把卵扫荡下去。在输卵管里经过的时间大致是三天。卵的成熟，卵的排入输卵管，以及黄体的形成，与子宫的按期出血密切相关。正常的女人，从春情发动期到变换期，每隔四个来星期出一次血。衬在子宫里的黏液膜变厚，变软，然后破裂，子宫内的细胞与破裂的毛细管流出的血混合起来，由阴道口排出——这过程名为月经。月经的出现表明，一个卵在十天到半月前已经成熟，排入输卵管，并不曾受胎。因了衬膜的更新，子宫一次一次地准备好接受一个受胎的卵。

月经的普通持续期间是四天左右；黏液膜的更新要用去五至十天；月经的脱皮准备也要同样的时间。所以，虽然在月经停止时，重要细胞组织的变更依旧在子宫中进行。大家久已相信，月经、卵程，和女性一般的性特征，必定有一种密切的相互关系。我们现时知道，事实上，卵巢生出女性的性荷尔蒙，正如睾丸生出男性的性荷尔蒙。近时的研究已经证明，在女人方面，性荷尔蒙在卵胞破裂以前衬在其中的细胞中生出。黄体的活动和其他内分泌腺的活动中间有一种复杂的交互作用。关于其他内分泌，随后要比较充分地讨论。这时但要提一句，子宫黏液膜按期变更，每月以月经出血为变更的顶点，

第六幅　女性生殖器官（续）

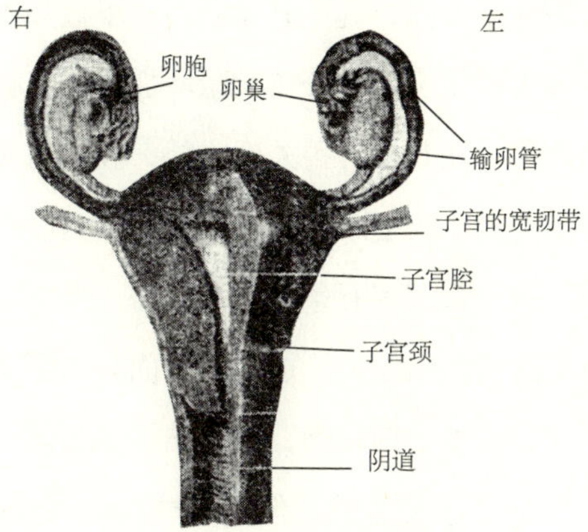

图十七　女性内部生殖器官，子宫壁的右前部分已被切去

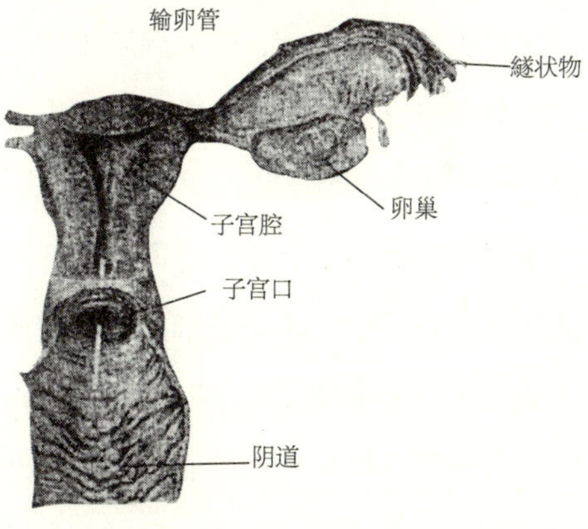

图十八　阴道、子宫、右输卵管、卵巢（纵断面）的背面

（原图藏德勒斯登的德国卫生博物馆）

这种变更是由卵巢荷尔蒙的活动引起的。

在怀孕期间，乳腺开始泌乳；小孩降生以后，在正常的健康的状况下，分泌大量增加，母亲有好几个月奶她的婴儿。在其他各种关系之外，乳房与女人的性生活直接相关，因此这器官是值得叙述的。乳房位置在胸前，由第三条肋骨到第五条肋骨。乳房（男女两性相同）是由皮下的脂肪组织层形成的，下面有一层坚固的结缔组织。在春情发动期以前，这种结缔组织体，乳腺，在男女两性都是不发达的。但到春情发动期，在女性方面，胸部显见增大，乃是脂肪成分增加的结果。即使在男性方面，乳腺的完全萎缩，也要到三十岁以后才开始。在乳房中央（男女两性相同）有乳头突出。乳头的颜色是暗的，有一圈有色的皮肤包围，名为乳头轮。一个女人，在怀孕以前，她的泌乳功能并不发达。一旦怀孕，腺细胞被脂肪细点胀起来。脂肪细点与蛋白质、盐质等同被排入输乳管，构成乳汁。怀孕时期最早分泌出来的乳汁，所含的不是后来精细的脂肪细滴，乃是粗大的脂肪表皮细胞，名为初乳，具有一种特有的黄色。在小孩降生后几天内，初乳被正常的乳汁所代替。初生婴儿的乳腺有时分泌一种乳状液体，是由腺细胞的脂肪变化生出的；成年男人有时也生出同样的东西，不过这样的例子是很少的。像这样一种分泌被人唤作“巫婆乳”（witches milk）。

第五章　月经及卵巢循环

现时应当比较详细地谈一谈月经和卵巢循环了。过去大家相信，月经的目的是把某种废物从女性身体中清除出去。另一种学说是，月经把女性身体内只在怀孕时有用的东西除掉——这种东西的功用是供给小孩以发长的物质。在这些错误见解的影响下，我们的前辈以为，一方面与生产后子宫出血有关，另一方面与乳分泌的充分发展有关。他们以为，生产时出血目的在除去，否则为害于母亲的东西。当乳分泌充分发展时，这些东西找到另一出路，于是不再出血。假如这两条生路都被阻塞，这种有害的东西停留在内部器官，因而引起疾病。所以，在细菌学的研究开始以前，在不知助产需要消毒的时代，人们把“产后热”——使产妇丧命的腹膜炎——归因于某一些东西的“内感”，他们以为这些东西应当排入乳中或产后子宫流出的血中。此外，大家以为产后疯狂，产后发生严重的神经错乱，由于乳汁“误入”脑筋。这种理论主宰医生和普通人有两千年之久。弗里希（Fritsch）很恰当地说，这些理论有一个大方便处。它们是似是而非的，“似是而非，在散布一种主张时，时常较证明更有效力”。

我们现时知道，月经不过是一种隐藏的过程之外在的可见的现象或伴随物。在过去八十年间，借了无数科学家的仔细研究，才把这种过程阐明，这便是卵程。让我们把前面关于这问题已经说过的话再补充一下吧。

月经普通在十三或十四岁上开始，乃是临近性的成熟（春情发动期）的一种表示。在任何一个时期的经血总量大致从三液体盎司到七液体盎司；但有许多学者以为，每天正常的数量不过一羹匙，总量多过三四羹匙便算太多了。没有疑问，行经的女人容易夸张她们失血的数量。只要排出的血不多到凝成块子，便没有认作太多的理由。月经的普通日期是大约四个星期一次——实际的日数，在经期“准”的女人，从二十六日到三十日。在德国所在的地域，月经普通在十四岁时开始，前面已

第七幅　女性生殖器官（续）

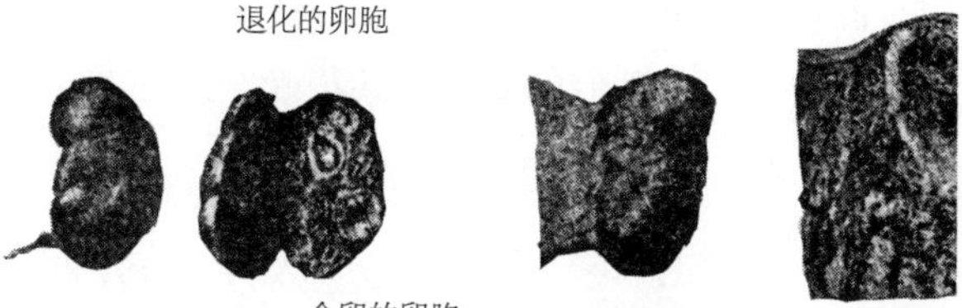

图十九　卵巢，女性生殖腺

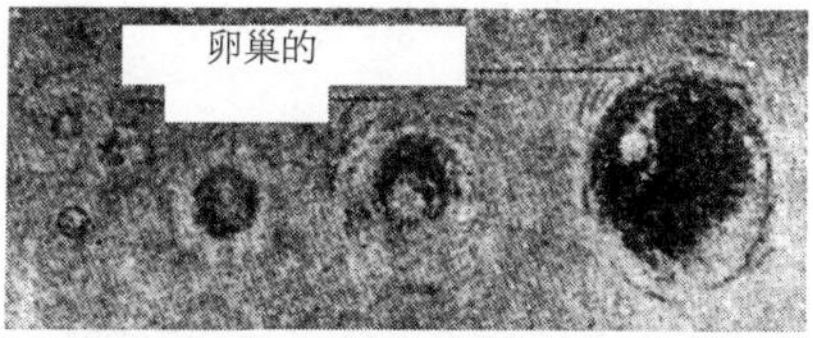

图二十　卵巢内卵胞的发展

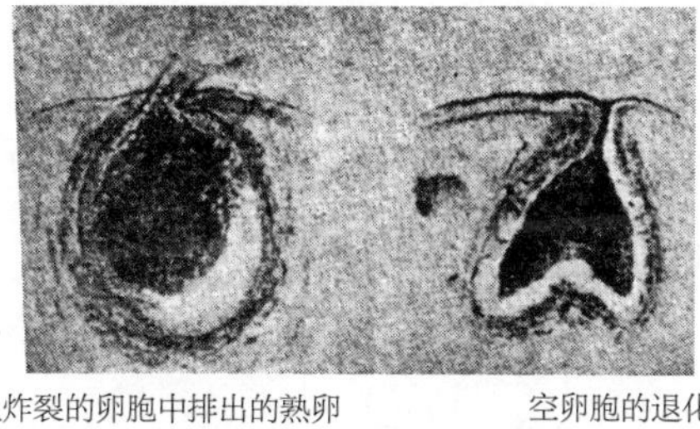

图二十及二十一　卵巢内的发展过程

（原图藏德勒斯登的德国卫生博物馆）

经说过，不同种族和不同气候的女人，其间的差异是很大的。例如，在爱斯吉摩人中间，在漫漫的北极夜间，女人们很少行经，她们的月经开始很晚，约在二十三岁左右。在热带，女人的月经开始期早得多，在十一岁，甚至更早。种族的差异，以及气候的差异，在这问题上各有其作用。例如，在匈牙利，犹太女人的月经普通在十三岁上开始，马吉阿人则在十五岁上开始。食物，和一般的生活态度也各有其影响，所以比较富裕的人，饮食丰富，生活安逸，多从事智能活动，月经来得比较早；至于贫穷阶级的少女，饮食缺乏，卫生状况恶劣，必须在很小的年岁从事体力劳动，月经来得比较迟。行经期间各人的差异很大。月经普通继续三至五日，但我们见过仅继续一二日的女人，也见过经常继续一个星期的女人，都不一定算病态。此外，一个女人的经期长短也因气候变化、精神状态或健康情形而不同。假如一个女人在行经时从事积极的体力运动，月经来得比较持久，也比较多。假如月经经常少于两日或多于一个星期，便应当借医学检查来断定，卵巢或子宫中有无其他病态变化现象。经期的迟速虽然主要由黄体的分泌来规定，精神刺激也有一种重要作用，有时能使月经早来，有时能引起暂时的经闭（amenorrhoea）。

在正常月经开始时，血与大量黏液相混，随后变得比较红，到将近停止时，便变得稀薄，只有淡淡的血色了。经血有一种特殊的气息，气息的强弱因人而不同，有的虽然加意保持清洁，但行经的事实依然瞒不过嗅觉灵敏的人。月经将来的时候，子宫和全部阴道都充了血。阴道的黏液膜变红，阴唇略见肿胀，下腹感觉沉重，时时想大小便，脊背下部作痛，这便是月经将来的信号。月经前数日，乳房胀大，表明各器官的反应形成月经循环的一部分。这些器官虽然离得很远，却与骨盘生殖器官有密切关系。不过，月经虽然在子宫最充血的时候发生，有一些女人，在子宫并未充血的时候，或许有一两天有少许血液从子宫内流出，同时感觉骨盘作痛。此外，与月经相连，精神和身体一般感觉不适，普通很轻微，但程度因人而不同。由此可知，女人所有的器官和功能都与月经的过程有关。喜怒不常，易感疲乏，不想工作，头痛（可能酿成偏头痛），都是常见的。唾液的分泌也增加了。患胆石的女人这时节容易发生胆汁痛。肝脏随月经充血，因而连带发生上述病象。肠胃病也是常有的：下痢或便秘；恶胸和呕吐；舌苔和口臭；肠胃气胀。臂足痛得厉害时可以成为神经痛，感受这种病患的女人，有许多神经系变得非常敏感。视觉和听觉也常发生障碍。所有这些失调现象，只要程度来得温和，便不算越过常态的限度；不过假如月经时连带有剧烈的子宫痛，或流血太多太久，那情形亦算是病态的。大多数那一类的情形由于子宫及其附属器官（卵巢和输卵管）的地位不正。有的女人，一开始时，子宫痛得不下于劳作的痛苦，这是格外可怜的。这一类的月经痛从没有万应药。其原因是复杂的。患病的人应当寻求专门的指导，每一种病要分别治疗。

古人以为月经是一种“清除”过程，把某种有害的东西从身体内排泄出去；又说，假如一个行经的女人摸过插瓶的花，那些花格外谢得快，假如她搓过面团，面包便发不起来；用现代科学的眼光来看，这种见解都是没有道理的。

在德国所在的地域，月经普通在四十九岁左右停止。弗里希对停经的时期作了下列的统计：百分之四十五的女人在四十五和五十岁之间停经，百分之十三点五的在五十岁以前，百分之五在三十岁以前，百分之一点八在五十岁以后。停经的迟早有一部分与种族和食物有关。在德国东部，月经开始平均比在德国西部早。处女和从来不曾生产的结了婚的女人，普通比作过母亲的女人，月经停得早。在四十岁后生过小孩的女人，月经格外停得迟。子宫的病态变化有时使月经停得迟。一旦那种病态医好，月经会突然不见，永不复返。子宫病以外的病，如心脏病、肾脏病、肺气肿、气喘、痔疮，都可以把停经延迟。这时应当提一提“假月经”，子宫黏液膜出血，由于各种传染和血液循环的障碍，连年纪大的女人也会发生这种情形。这种偶然的出血，与月经不同，不是卵程的结果。最先使我们明了月经的真性质的，乃是卵巢循环的发现。

现时我们可以把这种卵巢——子宫循环更仔细地谈一谈。这种循环是解剖学上的，同时是官能上的。每次经期结束后，子宫黏液膜只有几天的时间保持黏液膜特有的平静现象。月经后半个月，另一个卵胞已经成熟，爆裂，把卵射入输卵管扩张的末端。同时子宫黏液膜变厚，分泌更多的黏液，子宫血管扩张，扭曲：一言以蔽之，与怀孕的子宫所发生的变化相同，不过程度稍差罢了。子宫定而不移地准备好，以便接受一颗受胎的卵。子宫黏液膜所发生的显著变化，其原因为黄体的内分泌。黄体是排卵后由卵胞的衬里细胞在卵巢里形成的。这样生出的荷尔蒙，随血液进入子宫，引起上边所说的特殊变化。只有在卵已经受胎时，黄体在卵巢中留一段时间，继续发展作“孕娠黄体”。假如并未受胎，“月经黄体”很快地萎缩，几天后卵巢内除了一个小瘢外，不留别的痕迹。引起子宫变化的特殊荷尔蒙不再注入血液中。此外，因为不曾受胎，子宫黏液膜因准备接纳受胎的卵所起的变化不再有任何意义。黏液膜像月经黄体一般萎缩了，表皮脱落，毛细管裂开，除了黏液、血、细胞组织外，不剩下别的东西，子宫必须把这些东西从内部排出来。子宫是一种筋肉器官，所以能借了抽缩把这些废物排出来，作为月经从阴道流出。因此每一次月经表示怀孕未实现，一颗成熟的排出的卵未受胎。但月经过后不久，子宫又生出一层新黏液膜，于是循环重新开始。半个月后，另一个卵胞成熟了，爆裂了，把它的卵排入输卵管，卵胞的壁膜形成一种新的黄体。黄体的内分泌再度刺激子宫黏液膜，使之准备接纳受胎的卵；于是从头再来一遍。不过，假如卵在滑下输卵管时遇见一头精虫，因而受了胎，这每月的循环便中断了。其间的情形，随后加以叙述。假如怀孕未实现，月经循环——包括卵程，排卵，月经黄体形成，准备接纳受胎的卵的新子宫黏液膜的形成，未受胎的卵的死亡，黄体的萎缩，解体黏液膜的排入月经，更新的卵程——在每一健康女人全部性的成熟期间，一月一月地，进行下去。但在月经循环之上，还有一个循环运动，便是生命自身的循环。小孩变成少妇，少妇变成妻，妻变成母亲，母亲变成主妇——这个循环宛然是卵巢·月经循环一种延展的部分——女人的全部性生活反映生殖细胞（卵）的生活。

第六章　生殖概论

在人类方面，生殖总由两个细胞（一男一女的生殖成分）的结合来实现，但有许多动物和植物，其生殖却由完全不同的方式来完成。概括地说来，我们可以分作性生殖和无性生殖，但应当加添一个第三种型或混合型的生殖，这是偶然可以见到的。

无性生殖

无性生殖的意义是，生殖之前没有交合，独立的有机体营种族的延续。实际上这是与普通生长过程相同的。唯一的不同是，这种过程并不使有关的个体增大，却形成同类的新个体。我们还不知道，许多生物为什么要按着这种特殊的方式生长——一面茁生新的个体，一面

第八幅　生殖

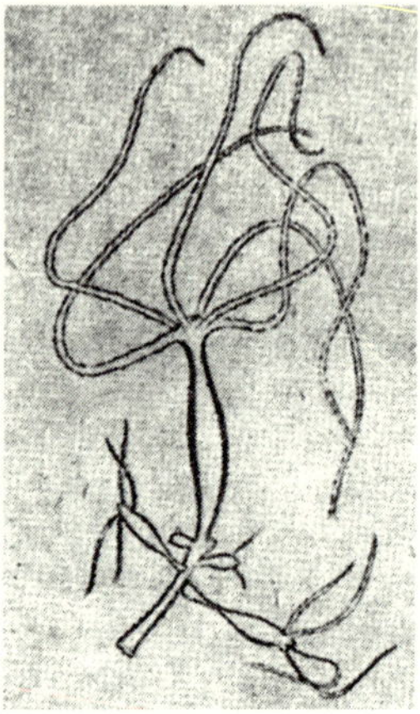

图二十二　生芽时的淡水螅

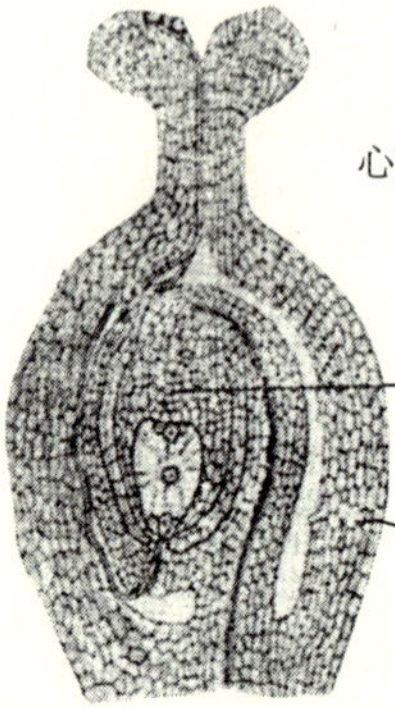

图二十三　一种植物卵的受胎

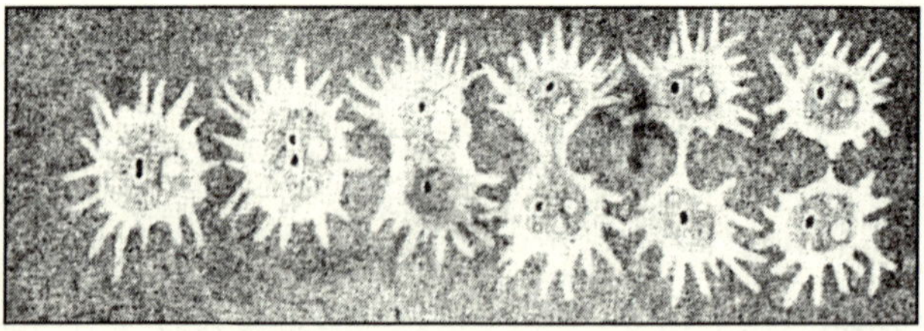

图二十四　一种阿米巴的分裂

（原图藏德勒斯登的德国卫生博物馆）

借这种新个体延续自己的生命。无论如何，这是一种有趣味的事实，许多动物（例如被囊类动物）在达到充分体积以前，便开始无性的生殖，造成再生殖的生长过程，或在该动物一般扩大中（先扩大，后分裂）表现出来，或作为一个“芽”，在一个特殊部分的增大上表现出来。经过一个时期，这个“芽”紧缩下去，终于从“母体”上脱离，形成一个新的独立的生物。这种方法名为芽性再生殖。不过，有许多动物，如阿米巴和纤毛虫，一个分作两半个，每半个变成一个新的个体，因此分不出“父母”和“子女”。但在芽性再生殖方面，当一个芽跟一个芽被母体抛出来，父母与子女的分别是显然可见的。有时，芽在根处有一部分紧缩，有一部分仍与母体相连，于是形成一个家族团体。像这样与母体相连的芽（像葡萄藤上的葡萄），可以从自己身上又生出芽来，这种过程可以进行下去——每一次的芽依旧与母体相连——终于一个包括许多代的动物部落出现了。这便是海绵、水螅、水母、珊瑚再生殖的方式。

性生殖

在性生殖方面，女性的生殖细胞（卵），在产生新的有机体以前，必须从男性有机体的生殖细胞受胎。至少，当动植物分作不同的两性时，情形是这样的；但也有雌雄同体的动植物，同一个体产生男女两性的生殖元素。平时兼具两性的动物也可以单性生殖或处女生殖。在别的种类方面，单性生殖可能是唯一的生殖方法。单性生殖的特征是，由于一种自发的冲动，卵不需要受胎，便可以发展为新的有机体。我们时常遇见一些有机体，在母体完全成长以前，单性生殖便开始了。例如，许多苍蝇的幼虫，在进入蛹的阶段以前，便由单性生殖的卵繁殖下去。不成熟的有机体所实行的单性生殖有一个特殊的名字，便是幼儿生殖（paedogenesis）。就蜜蜂来说，蜂后在交尾飞行中接受精液，储藏下来，用其中的精虫使她的卵受胎，这样受胎的卵便发展成女工蜂，至于雄蜂，却是从未受胎的卵生长出来的。又有一些别种动物有机体，交替从事性生殖和无性生殖，一代是性的生殖，下一代是无性的生殖。这便是所谓世代轮回，代表前边已经提过的生殖的“混合”类型。

在所有从事性生殖的多细胞有机体方面，生殖过程主要的是相同的，这里应当加以简短的叙述。不过，读者对于细胞学说若没有初步的知识，也便不能明了。

细胞论

生物构成有一个基本的单位，便是细胞，关于这一点的阐明，在我们对有机体内所进行的精微过程的知识上，具有重要的意义。在十八世纪三十年代，研究者式丸（Schevann）和式里登（Schleiden）建立了细胞论，三十年后，舒尔斯（Max Schultze）大大地加以改进，也得到大量生物学家的检讨。大家公认的细胞论如下：在只含有一个细胞的单细胞有机体方面，那个细胞当然是一个独立的有机体，但即使在那些含有无数细胞的多细胞有机体方面，细胞也有一种独立性，它是一个小宇宙。每一个细胞由一个预先存在的细胞萌生，或由那样一个细胞分出。细胞是一种原形质的小东西，一种复杂的半液体的蛋白质的物体；每一个细胞含有一个或更多的核心。植物细胞中间有一道清楚的墙壁，彼此分隔开来，在显微镜下，像蜂巢的一部分。动物细胞的构造与植物细胞的不同。

动物细胞大部分是小的，但体积相差很大，由直径三千分之一公厘（例如人类的精虫），到直径数吋（例如鸵鸟蛋黄——在细胞分裂开始以前，一个蛋黄是一个细胞）。一个动物细胞的典型样子是圆的或椭圆的；但由于压力、位置或其他的影响，会变成扁的、角柱形的、纺锤形的、纤维形的或突出作星形。进行吸入其他物体的能动细胞可以采取最奇特的形状。前边已经指出，有一些有机体是许多细胞合成的，所以名为多细胞；别的只含有一个细胞，所以名为单细胞。许多单细胞有机体是能动的，它们的动或由于爬或漂，或由于突出，或由于纤毛的扇动。至于生殖细胞，动物的女性细胞或卵是不动的，男性细胞或精虫却是能动的。在一六七七年，荷兰显微镜观察家雷文胡克（Leeuwenhoek）首先看见狗和其他兽类的精虫（他被司提反·哈谟占先了几个月），他把这些动得很快的小动物看作独立的纤毛虫，所以名它们为精虫。典型的动物细胞是半液体的，它的主要元素是由蛋白质类的液体合成的。此外，原形质含有脂肪、氢氧化炭、盐和其他化学物质。不过，读者断不要以为我们已经熟悉原形质的化学。因为母狗受胎的卵只能长成狗，海胆受胎的卵只能长成海胆，人类受胎的卵只能长成人，虽然这些种卵的样子很相似，对我们粗糙的化学实验的反应也很一致，我们也只能推定，在各种卵之间，必有很大的不同。在这一方面应当作的事依然很多，不过，近几年来，由于对染色体比较精密的研究（见后），我们已经对引起不同遗传类型的差异之性质，得到一点知识。原形质的主要特征是它的能动性、易受刺激性、营养的能力、生殖的能力。

在动物细胞中，有一个多少圆形的物体，名为核心，在用一种染料染色之后，格外清楚可见。在强力显微镜下，检查染了色的细胞，可以看出，核心与细胞原形质中间有一道膜隔离，在核心液的内部，有一种不易染色的像台子的东西。此外，核心还含有一种容易染色而且染得很深的东西，名为染色粒。多年来，大家以为，细胞原形质比核心重要得多，但后来才知道，核心控制细胞原形质的活动，给每个细胞以特征，乃是实际的遗传性负责者。这一点可以用很简单的实验表明，这实验要在显微镜下来作。举例说，假如我们把一个单细胞动物，一个原虫，分作含有核心的部分和没有核心的部分，没有核心的部分很快地消灭，含有核心的部分却活下去，而且时常可以把失去的原形质重造。细胞的分裂有两种方式，一种是直接的，另一种是间接的。在直接细胞分裂方面，细胞和核心简单地紧缩起来，分为两部分，成为女细胞，这种情形是最下级有机体萌芽生殖或无性生殖中常见的。间接细胞分裂是一种比较复杂的过程。这种过程由原形质中挨近核心的中央小体来支配。这种中央小体先分裂，然后核心中出现扭曲的丝，时常从分裂后的中央小体反射出来。

间接分裂的详细情形是这样的：在刚一分裂之前，核心的染色粒的台子，形成一种极端回旋的丝，愈来愈粗，愈来愈短，终于分裂成一些分离的棒子，名为“染色体”（chromosomes，意为容易染色的小体），其数量因有机体而不同。在每一种动物和植物中，染色体的数量是不变的。在人类的细胞中，有二十四个染色体。当染色体的形成过程进行下去时，包裹核心的膜不见了，

第九幅　受胎

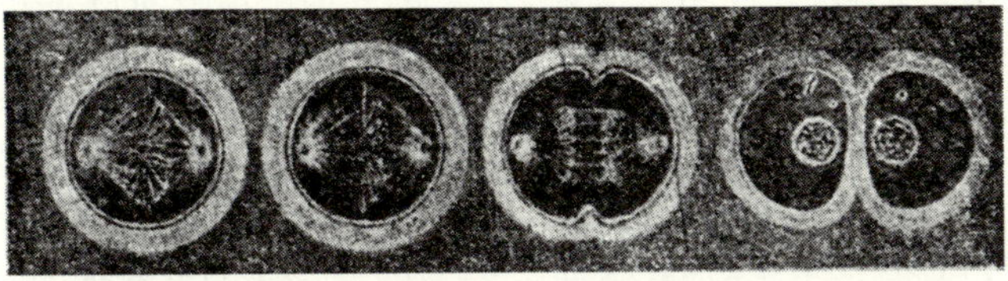

1. 核心中染色粒的有縫环在细胞的赤道平面形成一个星状形

2. 每一条縫裂开来

3. 每一女细胞受有每一条缝的一半，各自吸向两中央小体

4. 原形质分裂，新核心形成

图二十五　卵的分裂

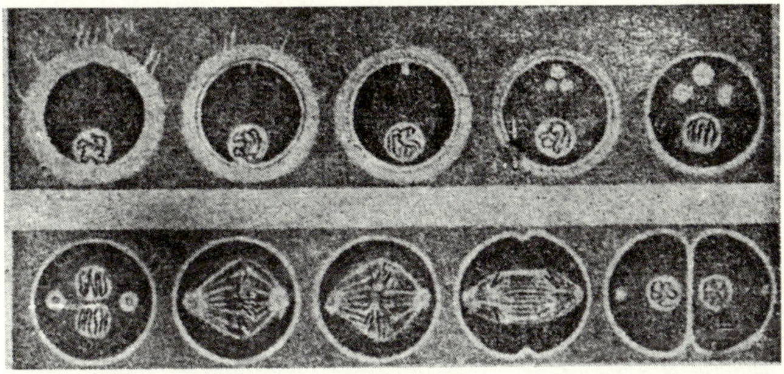

图二十六　卵受胎和分裂的十个阶段

（原图藏德勒斯登的德国卫生博物馆）

因此，核心的内容与普通细胞原形质连合起来。

这时染色体像兵士列队一般整齐地排列在细胞的赤道平面内。随后，每一个染色体纵裂为体积相同的两个棒子，这样形成的每一对棒子再分裂开来，在细胞的两极重新排列起来。结果是，细胞内染色体的数目加倍，每一端所有的染色体，与母细胞原有的数目相等。细胞的液体在两极周围凝结，那便是新形成的染色体群所在的地方。两极的染色体各端相连，由中央小体形成一个台子，正如间接分裂开始前在母细胞中的样子。同时，在母细胞的赤道平面，发生一种紧缩，终于使母细胞分成两半个，每半个里面有一个核心。间接细胞分裂过程中最重要的现象是，每个染色体纵裂为两半个，因此每一个女细胞受到同量的染色粒，据现代的看法，这种染色粒乃是遗传性质真正的传递者。

动植物界的间接细胞分裂的根本特征便是这样的。当然，变异是很多的；名为细菌的单细胞有机体，其增殖可以在显微镜下很彻底地研究，关于分裂过程比较细微的情形，我们却不大知道，这是一种大可注意的事实。但在高级有机体方面（连人类在内），细胞分裂的过程总照上面所说的情形进行，各种身体器官也总照上面所说的情形在胎内时期形成，在后来发长时期增大。一种“器官”，依照这名词之生物学的意义来说，乃是身体的一部分，具有各种互相关联的细胞组织，形成一个解剖上的和功能上的结合体。一种“细胞组织”，具有若干同类的细胞。例如，肝脏是具有不同细胞组织的一种器官，其中有肝脏细胞、结缔组织细胞、血管细胞，等等；我们对生殖器官所作的描写，可以使读者知道，这些器官也具有各种细胞组织。细胞结合成细胞组织，细胞组织结合成器官，器官结合成整个的身体，像这种有系统的发展，是国家与人体共同的。动物学家和植物学家习惯说，简单的单细胞有机体，“进步”为多细胞有机体，多细胞有机体“进步”为愈来愈复杂的有机体，上达哺乳动物，上达人类。据依然流行的见解，全部动物界构成一个广大的上升的阶级，其中的每一种族比下面的一级更高，也更好。这样一种见解在赫克尔（Haeckel）的生物进化论中表现出来。他的意见是：“由遗传律和适应律的活动所引起的个体发展，是种族发展凝缩了的重复；因为，用术语来说，有机体发育是系统发育的一种重复——一言以蔽之，每一个体，在发展途中，经过该种族在进化途中所经过的阶级。”在本书作者看来，这种对动植物界的阶级观，似乎受了人类中心论的错误影响，人类中心论乃是人类以自己为创造物的冠冕的骄傲倾向的产物。永在的无限伟大的大自然，对于人类的估价毫无所知。我们把阿米巴分裂作两个相等的相同的部分看作简单的，不复杂的；把人类由卵与精虫结合而生殖以及后来的胎生过程看作比阿米巴的分裂更复杂，或在有机体的标准上站得更高，实在是没有理由的。我们所能说的不过是，就我们人类所了解的来说，这一种过程似乎比另一种过程比较复杂罢了。

第七章　受胎

卵与精虫以下列的方式结合。在性交行为中，含有许多百万精虫的精液留在后阴道颈内。一次射出的精虫的数量几乎是令人无法相信的大。据罗德（Lode）估计，约有二万二千八百万，但比较近时的检查，使我们相信，比这数目大得多。大自然以这样的浪费，使无数精虫中至少有一个能克服途中各种障碍，达到与卵结合的目的。大量精虫进入子宫口，辗转进入子宫颈。子宫颈内的黏液膜衬有纤毛表皮——纤毛向下向出口波动纤毛的运动妨碍精虫向卵的进展；当精虫进入输卵管时，它们依然必须逆流而进。精虫的动作是很活泼的，可以在一分钟内游两三公厘。从子宫口到输卵管通子宫的口，距离从一百六十到二百公厘，一个在一秒钟内跨过它自己的长度的精虫，可以在一两个钟头内游完全程。不

第十幅　胎生

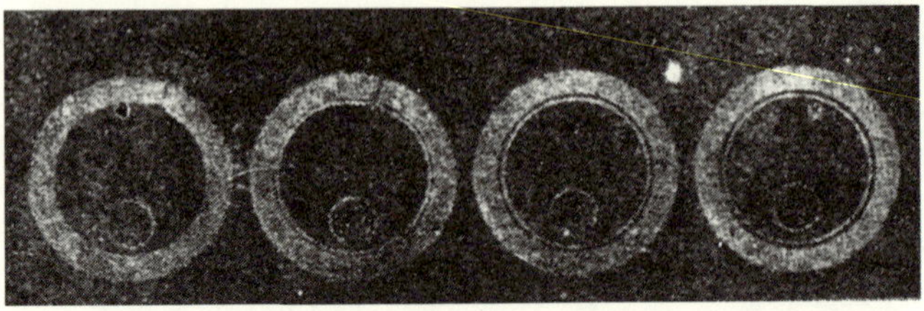

1. 无数精虫中只有一个穿入卵内
2. 卵形成包膜，使其他精虫不得入内
3. 精虫尾部完成推进作用后即脱落，头和颈扭转
4. 头变成一个中央小体，后以反射出原形质细腺

图二十七　卵的受胎

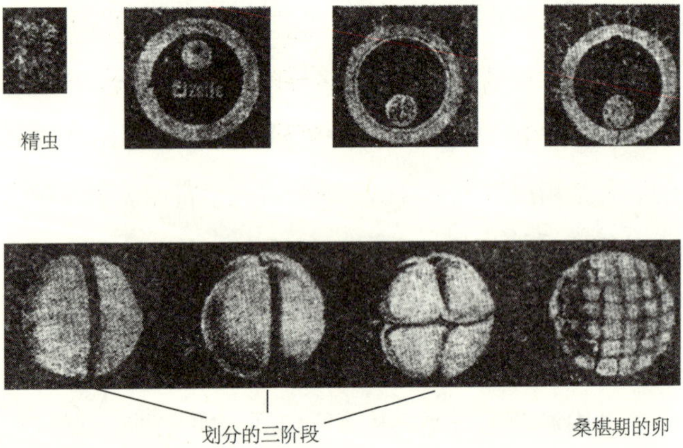

图二十八　卵的受胎和分裂

（原图藏德勒斯登的德国卫生博物馆）

过，上边所说的纤毛运动或许使得精虫的向上运动比这个慢。一只兔子，性交后两点三刻，它的精虫在输卵管漏斗的縒状物上发现。有一个在性交时死掉的女人，比喜一希尔式菲尔（Birch-Hirschfeld）在她死后十五个钟头，在她的输卵管内发现精虫。

卵没有独立运动的能力，它是被动地由炸裂的卵胞射进输卵管，然后沿输卵管移向子宫。输卵管时常以下列的方式把卵接受下来。输卵管喇叭形的末端位置在囊状的腹膜中，喇叭口面向卵巢。因此，卵很少误入腹腔中。卵与精虫的结合时常发生在输卵管的上方。在下去几天内，受胎的精虫被输卵管内的纤毛扫进子宫内部，嵌入子宫黏液膜内。关于性交后受胎前时常经过的时间，我们没有正确的知识，不过有许多证据表明，这时间是很长的——长到一个星期或至半个月。因为我们依然不知道受胎的确定日期，所以无法以数学上的准确性预言怀孕期何时终了。普通的计算法是，产期大约在怀孕前最后一次月经后的十次经期的结尾——所以怀孕期是二百八十天，四十个星期，十个太阴月，或九个历月。

受胎的卵既经嵌入子宫黏液膜内，便从周围吸取营养，子宫自身随着它所包含的果实扩大。于是子宫壁大大地增厚，比怀孕前得到的血液供给多许多。一言以蔽之，子宫内发生了使这个器官适应它的新功用的变化。

第八章　胎儿之发长

在赫特维喜（Oskar Hertwig）以前，便有人观察各种动物界卵与精虫的结合，但赫特维喜对海胆透明的卵这一过程的研究已经成为经典的了。表明卵总由一个精虫受胎的便是他。关于植物界同一过程的研究，德国植物学家普灵谢木（Nathaniel Pringsheim）是先驱者之一。

当精虫接近时，遮蔽卵的黏液膜上现出一个突起，精虫便从那里贯入，被它的尾巴的波动推向前方。精虫的头一经贯入，卵黄中便起了一种凝结作用，因而形成一种卵黄膜，阻止其他精虫入内。精虫的尾巴，既经完尽其功用，便断下来，留在卵外边。精虫的颈部变成一个中央小体，它的头部变成名为男性卵基的东西，卵的原来的核心构成女性卵基。男性卵基和女性卵基互相接近，终于在已经受胎的卵的中央合成一个新的核心。在这个核心以外，在发展中的胎儿的细胞中出现无数万的核心。大有理由相信，人类受胎的过程，与赫特维喜在海胆方面所观察的情形十分近似。这里同样应当有男性卵基与女性卵基结合，以形成一个新的核心。在形成核心之精虫元素和卵元素的细胞分裂过程中，一种缩减过程发生了（meiosis），结果每一核心的染色体的数目减少了一半。因此，当男性卵基与女性卵基结合时，新核心中染色体的数目是该种族一个特征。“假如没有这一种减缩分裂，两个含有原来染色粒数量的核心遇在一起，于是受胎的卵中染色粒的数量就要比父母的生殖细胞和其他细胞中的染色粒多一倍了。每发生一次性生殖，便增加一倍，过了若干代后，核心元素便要大得与细胞的原形质非常不相称了，其中就要没有容纳核心的空间了。”（赫特维喜）我们现时知道，染色粒（男女生殖细胞中最重要的核心成分）乃是造成个人特征的那些遗传品质的传递者。

在卵受胎以后，当它的新核心依上面所说的方式形成时，它依所有动物细胞的特有方式分裂。它的核心分裂为两个女核心，随后这分裂过程重演下去，细胞的数目依几何的级数增加为二、四、八、十六、三十二、六十四，如此类推，在二十次分裂之后，细胞的数目终于超过一百万。像这样产生的细胞名为胚原形质。这些胚原形质开始形成名为桑椹期卵的桑子体。这是一种空洞的圆球，它的外壳含有前边说过的胚原形质，它的内部充满了液体。当它增大时，这些胚原形质（开始时松松地连在一起），变得紧凑起来，构成最早的“细胞组织”（tissue）。这时发展中的胎儿不再像桑子，所以不再名为桑椹期卵，却名为胚囊了。由紧聚的胚原形质构成的外壁名为胚膜。有一些动物和植物，此种胚囊的形成代表成年的发展现象。不过，在所有其他动物界（人类在内），胚囊壳陷入一部分，液体也消失了（否则会把陷入部分的细胞与外部分离），因此胚囊变成由两层细胞作成的小囊——像部分陷入自身内的手套的一指。这个囊名为胚套。构成这东西的两层细胞名为内胚胞层和外胚胞层。胚套口名为“原始口”（primitive mouth）。取一个壳上有一个小孔的空橡皮球，把球的一半套入另一半，因而把其中的空气挤出来。这样作成的双层套子的外层相当于外胚胞层，内层相当于内胚胞层，球壳陷成的口子相当于原始口。这个胚套阶段又是许多动物的成长形式，但在人和其他哺乳动物的胎内发展上，却是过渡的。赫克尔及其赞助者便把他们的学说建立在这一事实上，他们的学说是，个人发展是种族发展的重复。

在这形成胚套的两层细胞之间（有时唤作原始胚胞层），这时出现了一个中间胚胞层，其中所含的细胞是由内层取得的。将来身体所有器官都由这三层细胞生出来。最外的胚胞层，名为外胚叶，由以生出皮肤、指甲、毛发、中央神经系、感觉器官；最内的胚胞层，名为内胚叶，由以生出肠道和脉管；中间的胚胞层，名为中胚叶，由以生出骨头、筋肉、外围神经、生殖腺、腹腔，等等。

当胎儿的原始器官一旦开始形成时，它便用力把自己从胚胞囊上紧缩下来。它的身体周围现出一道沟子，于是从胚胞囊上分出一部分来，后来形成胎儿的胞膜和附属部分。那道沟子愈来愈深，终于胎儿只用一条茎与胎胞囊（此后改称卵黄囊）下余的部分相连。胎儿在腹部方面渐渐地与卵黄囊分开。同时在它的背部生出两个囊来：一个内部的，接近胎儿，名为羊膜；一个外部的，名为假羊膜。羊膜形成一个含有液体的空洞，胎儿便在其中发展。

在结束这一章短短的关于胎生学的书以前，应当谈一谈怀孕和生产的生理学。我们若非说得极其简短，便会超出本书的范围，结了婚的男人，若要求得关于本问题的详细知识，请去参考这一学科的专门著作吧。

我们已经说过，受胎的卵嵌入子宫黏液膜中，子宫黏液膜在卵上面生长起来。怀孕期的全部子宫黏液膜名为蜕膜，这是说，这层膜要在生产时脱落。怀孕子宫的总衬里名为“真蜕膜”，直接遮盖胎儿的部分名为“反射蜕膜”。胎儿所需要的营养，借了名为胎盘的器官的媒介，从母体获取。胎盘由胚膜之一的血管交织而成，用子宫黏液膜中胀大了的血管把胎儿围绕起来。胎儿的血液循环和母体的血液循环依旧是分开的，但在母亲的血中循环着的产物，透过血管，进入胎儿的血中，反转来亦复如是。因了胎儿长大，在怀孕期终了时，子宫大得由五千到七千立方公分增大的器官自然而然地侵犯腹腔中留给别种器官的地位，不过对全体不常有严重的妨害。生产以后，子宫（借了“收缩”的过程）很快地缩

第十一幅　胎生（续）

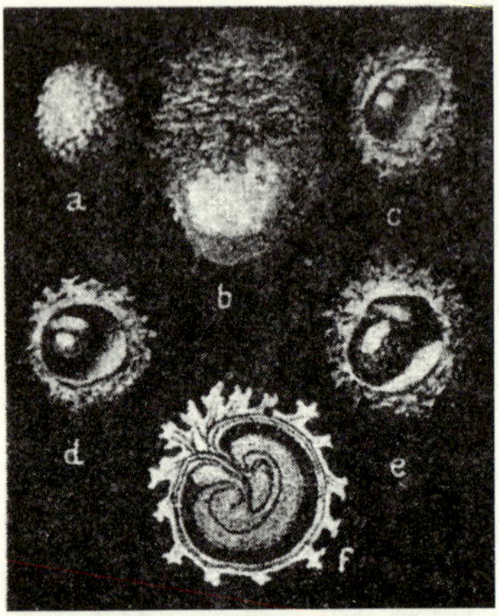

（a）第三星期左右的人卵

（b）第十星期的人卵，长达七公分

（c）人卵中未成形胎儿

（d）胎儿的上面观

（e）胎儿和胞膜

（f）两月的胎儿循环

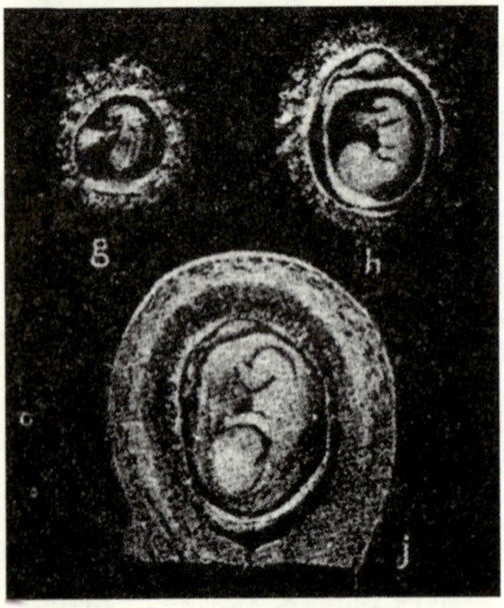

（g）四星期的胎儿

（h）六星期的胎儿

（i）十星期的胎儿

图二十九和三十　人类胎儿的发展

（原图藏德勒斯登的德国卫生博物馆）

回与先前相近的体积，腹腔收缩起来，在健康的女人，唯一明显的永久的怀孕痕迹是腹面闪光的白纹。这是由皮下脂肪伸张造成的龟裂的疤一般的余迹。怀孕也在生殖器官中留有一些解剖学上的改变，不过这是不能在这里叙述的。

末次月经第一日后约二百八十日，胎儿成长得可以降生了。生产得力于子宫有力的收缩，以及腹部筋肉和横隔膜的收缩。不过，第一步，子宫颈应当先松开。胎水受了子宫收缩的影响，把子宫颈逐渐挤开，直到宽得足以使小孩的头通过，然后作罢。随后是小孩生出的阶段，小孩的头必须向下穿过骨盘，把阴户挤开，到它可以通过的程度。用在生产上的时间差异很大，先前生过小孩的女人，所用的时间短得多。若在第一次生小孩的人，子宫颈的充分膨胀时常用去十二小时，小孩生出又得用两小时。生产时子宫收缩是极端痛楚的，名为产痛。产痛并非连续不断，乃是一阵一阵的，相隔的时间愈来愈短，当产痛愈剧烈时，生产的活动便愈有力了。

小孩既经生出，子宫用力在胎盘上收缩，胎盘从子宫的内面脱下，然后随名为胞衣的膜排出来。一开始有不少的血从破裂的血管流出，但当子宫收缩得十分有力时，血便停止了。假如没有这种收缩，流血可能是危险的，倘不立即加以治疗，可能丧生。子宫的复原普通需要两个半月，在这一段期间的头几个星期，阴道中继续排出一种混血的东西，名为产褥排泄。假使母亲亲自乳她的婴儿，月经普通在生产十个月后才能恢复。在乳分泌停止以前，月经大致是不会有的。不过，在没有月经的时期，并不能说，卵程也不进行。普通相信，乳儿的母亲自然而然地能避孕，实际上这所谓安全期是靠不住的。因此，结了婚的夫妇最好设法避免在生产后十个月内再度怀孕，继续怀孕太快的女人格外老得快。

那些不能使一个卵受胎的无数万精虫怎样了呢?其中有许多简单地随精液由阴道排出，或由于自然，或由于灌洗。虽然精虫在子宫和输卵管内部可以活一个长时间，但它们在阴道内很快地死亡，由于阴道内酸性反应的缘故。但就连进入子宫和输卵管的那一些，过一些时候也要死亡，由于女性分泌的化学作用，精虫所含的元素被吸入女性的血液的循环。樊德维尔认为，这些残余在享受性交利益的女人的新陈代谢作用上演有重要功用。至于那些沿输精管一路进入腹腔的精虫，据胡恩（Höhne）所作的实验（把精液注射入动物的腹腔），似乎这些迷路的精虫都被白血球吞食掉。人类生育的法则是一次生一个小孩，孪生是例外（大约每八十次中有一次）；至于一次生三四个的更为稀少。孪生的倾向似乎是遗传的，男女都可以遗传。孪生在人类有两种。一种是由于同时受胎相并嵌入子宫黏液膜的两个卵。另一种则由于分为两个胎儿的一个卵。前者名为双卵孪生，后者名为单卵孪生。据布木（Bumm）说，双卵型占百分之八十五，单卵型占百分之十五。

第九章　输卵管怀胎

假如受了胎的卵在达到子宫以前便滞留在输卵管内，假如它把自己嵌在输卵管的壁内，然后在那里发展，那结果便是所谓输卵管怀胎。滞留在输卵管内的原因很多。有时输卵管有一种先天的缺陷，没有纤毛表皮，结果很可能把卵留在里边。有时，由于传染病（普通是淋病），输卵管已经纽结，或内部形成部分的胶着。不拘原因怎样，受胎的卵滞留在输卵管内，结果与在子宫内不同，没有充分发展的地位和营养。这样一颗受胎的卵终于在几个星期内死掉，大约在末次月经第一天后六至八个星期。到那时，那个“误了一期”的女人会注意到，阴道中流出少量褐色的血。这情形会使她疑心，就要发生流产，她大致会去见医生。高明的医学检查很快便会查出，子宫中流血乃是输卵管中的死胎引起的。不过，像这样顺利的情形是很少见的。比较常见的是，输卵管在扩展的胎儿的压力下破裂，于是发生类似流产的情形，不同处是，血和胎儿不从阴道排出外界，却从输卵管的破裂处进入腹腔。假如破裂的血管是小血管，便会有断续的但不很多的内部流血，病象是软弱，头晕，下腹发生阵痛。假如一个相当大的动脉破裂，那病象是很可怕的。一个一向似乎很健康的女人，不过脱过一两期，忽然间骨盘和一边或两边腹部发生剧痛，变成惨白，仿佛周围大动脉之一被割断，出一身冷汗，假如不即刻实行外科手术，大有可能在二三小时内流血而死。腹部应当割开，破裂的动脉应当扎起，流在腹腔内的血应当除去。即使病象没有这么严重，也必须实行同一手术。在高明的医生手中，这手术并不十分困难，假如进行得早，一定可以治得好。

第十章　怀胎之验尿诊断

阿希汉和臧德克（Aschheim-Zondek）的怀孕验尿诊断，在输卵管怀胎的迅速认识上（虽然输卵管破裂的现象开始时不大显著），收了很大的功效。这一种诊断法的重要性也并不限于此使一个女人感受痛苦的某一些病象，是由于怀孕呢，或由于子宫瘤的发长呢，或由于卵巢瘤的形成呢，或怀孕连带有这或那的瘤呢，这在过去是很难判断的。固然，近年来 X 光对我们有过帮助，不过即使没有 X 光，也不再需要把诊断留给时间了。阿希汉和臧德克用验尿诊断早期怀孕的过程，乃是近代医学上最重要的发现之一。

许久以前，哈勒（Halle）的生理学家阿布德海尔登（Abderhalden）便能证明，胎盘，在一定意义上，并非母体的一部分，当胎盘的残屑被动地或自动地进入母体血液循环时，血中现出发酵，使那些残屑解体，然后消失。或者，那种发酵本已存在怀孕的女人的血中，准备处置胎盘的碎屑。因此，在一个女人的血中发现所说的发酵，我们可以断定，她体内有一个胎盘，所以她一定是怀孕了。不过，在阿布德海尔登的发现后若干年，没有可以查出所说的发酵的可靠的化学技巧，直到一九二八年，阿希汉和臧德克才研究出一种可靠的方法，现时普通用来从事怀孕的早期诊断。

我们已经再三地说，生殖器官的样式、发长和成熟由名为荷尔蒙的东西（各种腺的内分泌）决定或影响。关于女性生殖器官，最重要的荷尔蒙是由卵巢生出的那一种。举例说，假如把一头白鼠的卵巢除去，缺少卵巢荷尔蒙的结果是，那头动物不再有性欲。哪，假如把另一头鼠的卵巢的残余，移接在割去卵巢的动物的皮下，普通的性欲现象不久便在那动物的阴道和子宫中出现了。不过，阿希汉和臧德克发现，卵巢荷尔蒙在孤立时，并非性生活有力的统治者，必须与别种腺的内分泌合作。这所说的别种内分泌，前黏液腺的内分泌，可以说是发动卵巢摩托的一个重要因素。假如把前黏液腺荷尔蒙注射入未成熟的母白鼠（生后三四个星期），那头动物在正常年龄前达到性的成熟，进入春情发动的状况。

阿希汉和臧德克更发现，一个怀孕的女人，第一次经期错过几天以后，她的血液中生殖荷尔蒙的数量增加一千倍——多得由肾脏排出，在尿中出现。在第一次经期错过后五天内，我们一定能从怀孕女人的尿中发现大量前黏液分泌和卵巢荷尔蒙。不过，在某种情况下，即使一个女人不怀孕，也可以在她的尿中发现卵巢荷尔蒙。在另一方面，一个女人的尿中含有前黏液荷尔蒙，几乎定而不可移地（百分之九十八）表明，那个女人怀了孕。所以尿中荷尔蒙的发现，使我们可以断定一个女人怀孕，没有荷尔蒙时，证明她并未怀孕。

现时谈一谈这种诊断方法的实际应用吧。首先应当说明，不同哺乳动物的各种荷尔蒙，假如不是完全相同的，至少非常近似，所以，从一头羊身上抽出的甲状腺分泌，可以医治人身上因缺少甲状腺分泌而有的疾病，一个女人前黏液荷尔蒙可以使一头老鼠动性欲。实验时，要用几头鼠，因为注射有时可以致命。有怀孕嫌疑的女人一清早撒出的尿，用来注入这些老鼠的皮下。四天以后，把这些老鼠杀死，把它们的生殖器官放在放大镜下，仔细检查。假如从以取尿的女人是怀孕的，我们便发现，在所有雌鼠中，阴道和子宫显见扩大和充血。在卵巢中，我们发现只有注射前黏液荷尔蒙所能发生的变化。在特殊的情形下，卵巢中所有的变化，普通放大镜看不清楚，显微镜的检查可以使研究者断定，泌尿的女人是否含有前黏液荷尔蒙——便是说，她是否怀孕。

第十一章　春情发动期

一个儿童不仅是父母的后嗣，尤其是种族的后嗣；爱情在人类本能中间占最前列的地位，以便个人可以延续种族。性冲动或性本能所要保存的不是个人，乃是种族；这种本能可以强盛到与自我保存的冲动发生矛盾而将之克服的地步。

据近代若干研究家的研究所得，特别据高尔斯密（Goldschmidt）的研究所得，个人的性别在卵与精虫结合时已经规定下来。各种性特征随后由生殖腺的内分泌诱导而成。没有疑问，男女儿童在最早的童年已有显著的分别。不仅是用以分别男女的生殖器官间解剖学上的不同，因为男女儿童各有特殊的体态、发形和音色；习见的性差异和许多次要的性特征已经存在于男女儿童的原形质中。发长中的儿童的兴趣可以说是由性别来决定的。小女孩喜欢玩木偶，把自己看作母亲。小男孩大致显示一种扮演兵士的倾向，更对初步工程和其他技术的细节发生幼稚的兴趣。小男孩喜欢模仿古今社会中的名人，小女孩则从日常家庭生活事件中提取游戏和其他娱乐的材料。固然，在这些问题上，普通认作“性”差异的现象，也可以由教育和习惯造成。不过，本能在造成男女儿童行为的性差异上具有决定的作用，这见解依然没有问题。虽然现时两性儿童和青年男女受同等运动的影响，两性间主要的和天然的差异丝毫不因此泯灭。当童年的时日过去时，我们更发现，青年男女的性冲动和成人性功能的觉醒，因为与生殖器官的成熟过程互相关联，特别是与生殖腺的成熟过程互相关联，所进行的途径是很不相同的。在这样的年龄，生殖腺的活动在男女儿童身心两方面产生非常革命性的变化。

诚然，弗洛伊德（Freud）及其学派把一种重要的特殊的意义加在童年初期的性冲动上。但据杜灵（Düring）说弗洛伊德学派错把因性冲动和性功能而有的性行为和性满足，与因男女生殖器官表现的性别混为一谈。无论如何，在春情发动期以前，性冲动并未正常地觉醒，到了那个时期，性的成熟才开始，个人才有生殖的能力。据本书作者看来，许多怀中婴儿手淫这事实，不足以证明，这种手淫行为给予或能给予性满足。

在春情发动期前不久，甲状腺增加活动，使得四肢的长度增加。在这体高增长的时期，男女儿童在体重方面也时常有显著的增加。据包尔文（Balwin）说，在女童方面，最显著的体高增长，在九至十三岁之间；最显著的体重增加，则在她们十二三岁的时候。在男童方面，最显著的体高增长，在十二至十五岁之间；最显著的体重增加，在他们十四五岁的时候。伴同这种身体方面的改变，心理方面也有一种改变，如查德洛·布勒尔（Charlo-tte Bühler）所证明，提高了对于权力的意识。不过随着来的却是暂时的相反的一面，主要特征是一切活动的失败，身心两方面的拙笨，这时期通常，特别在少女中间，唤作“拙笨时代”。甲状腺和其他内分泌腺发生一种交互作用，这种交互作用在这一时期有时格外活动，有时比较不活动，这种“团体动作”的总结果是“次要性特征”的出现。由于骨头内的特殊变化，少女的骨骼变得更纤细，更苗条，不像男人的骨骼那么粗大——这是一种终生不变的差别。在少女方面，骨盘长得比男性的大，使得女人带出大屁股和连并腿的样子，是她最突出的性特征之一，不过时常被衣服遮起一大部分。这些骨盘方面的变化在便利生产上是必要的。

女人的腿，特别是股部，与她的体高对比起来，比男人的腿略短。男人的筋肉比较发达，因而他的皮下脂肪较不发达，不仅腹、腓、胸等部如此，臂上下部莫不如此。所以女人的身形比起男人的来比较饱满，比较好看。另一显著的性差异见于毛发的生长上。在春情发动期，男女两性的腋下的耻骨部分生出粗而硬的毛，此外男人的脸上生须，女人则增长头发。两性阴毛的生长也有明显的差异，在女人方面，这一丛毛是三角形的，三角的底部在阴阜顶端，在男人方面呢，这一丛毛向上长到脐部，不过略觉稀薄。有许多男人，胸前也有毛。概括地说来，在春情发动期，女人的皮肤的肌理比男人的细致、多血。声音方面也有显著的性差异。虽然两性儿童的声音都是最高音，到了春情发动期，男性的声音便“倒”了，此后成为次高音或低音，而女性时常保持最高音。这种差异是由下面的事实造成的：在春情发动期，女性喉头的变化比较小，男性的便比较大，成为显然可见的部分（亚当苹果）。男女两性的呼吸式样也有不同处。在男人方面，除了在激烈运动的时候以外，腹部呼吸占重要地位，空气主要地借了横膈膜的收缩和松弛入出肺部。在女人方面呢，吸气时胸部扩张，呼气时胸部收缩。在春情发动期，由于大量局部的脂肪发展，女人的胸部也变得饱满起来，两乳突出胸前，成为男女身体上很显明的不同的特征。在春情发动期，男人的睾丸增长了，比先前垂得更低，左边的一个通常比右边的一个低一点。在春情发动期以前，男孩子的生殖器时时挺起，但这时比先前来得更频，遗精也开始了。少女这时有了月经，不过通常要过一些时候经期才能准。

当这种身体的成熟过程进行下去时，精神方面也发生一种类似的革命，中性的儿童因此开始发展一种男性的或女性的人格。实际上，精神的变化和身体的变化是互相作用的。构成"个性"的永久特征这时开始作决定的表现。过去聪明的勤力的驯顺的儿童，当春情发动期到来时，时常变成懒惰的，心志不定的，不听话的。反过来时，一向难对付的不近学习的儿童，在春情发动期，时常会突然对学问感觉兴趣，在注意力和记忆力方面，有一种显著的进步。在这两个极端之间，有无数过渡的等级，有时童年原有的癖好、倾向、特征成直线地发展下去。无论如何，青春发动期是一个危险的时期，作父母的和作教师的要用尽才智来应付，这些人时常不了解他们应当怎样注意这时期的儿童。在春情发动期，“青年人”倾向于发现他们自己的意志，表现一种强烈的独立愿望，这种愿望会成为病态的，用逃亡的方式来表现它自己。与突发的倔强、违逆、乖张同时，会对家人、同学、教师发生一种感情的变化，对日常职务，特别对学校生活的义务，态度上时常有一种显著的变化。在这一时期，年长者方面，和蔼，圆通，聪明是十分必要的。没有疑问，坚定是不可少的，但不可以太露骨，要使得尚未完全脱出童年的人尽可能容易地渡过这一时期。最要紧的是，作父母的必须了解，时候已经到来，他们的自私心应当退后，因为发长中的青年男女终生的命运、幸福或不幸福，时常由这初期性发育的危险时期处理得聪明与否来决定。年长的人必须知道，太重视小小的鲁莽或不服从的行为表现是错误的。在春情发动期，少年男女很容易觉得自己受了不公道的待遇，这乃是这时期的心理变化的一种现象。在这一时期，他们有与长辈立异的先天倾向。他们也极端容易说唐突的话，假如长辈能和蔼地同情地指出他们的错误，他们会立即加以悲悔。

这乃是儿童大体上“脱离”父母的适当时期。在春情发动期，青年男女被最亲近最亲爱的人们所误解，几乎是一种不可避免的悲剧。年长的人们要借了精明和同情来了解青年心理的活动，只有这样才能避免父母与儿童中间的裂痕——永远不能弥补的一种裂痕。因为儿童在春情发动期对父母（尤其是母亲）失去身体关联的意识，个人利益和家庭利益的交织断绝了，这时作父母的义务是启发儿童对艺术、文学、哲学、科学的兴趣，造成父母与子女后来亲近的基础。只有靠了这种贤明的处理，作父母的才能减少儿童性格恶化的危险，避免儿童心身两方面的失调。这任务是艰难的，因为，说来奇怪，在春情发动期，青年人很容易受家庭以外的人们的影响，同时他们却有一种强烈的倾向，反对家庭的影响，假如这种影响采取一种专断的形式，他们愈要加以反对。作父母永远是一种高级的道德责任，但当儿童度春情发动期的几年间，道理尤其是这样。凡自觉无力应付的人，最好去求医学上的指导，这种指导时常是最有益的。

如上所说，春情发动期的特征是，男女两性感情生活中一场强烈的革命——前面已经说过，时常连性格也改变——比较固定性格的取得，以及个性的发展。在这一个时期，青年男女觉出，他们遭遇到一种稀奇的情形，但大多数时候他们不明了这情形的性质；不经过关爱的成年人加以适当的解释，他们也不能了解。不过，他们时常从他们的同学或同年龄的别人得到一种说明，这说明或是不正确的或从一个错误的角度出发，倘不经过同情的成年人的补充和修正，结果会是有害的。

这时期的感情生活难免显著的变化。正如男孩子“倒嗓”一般，少年男女会反复于极端快乐的心情与失望的深渊之间。因小事狂喜，对长辈不以为可笑的事痴笑，容易受刺激，容易哭，容易发怒——这都是春情发动期改造个性重估价值的过程中所有的表现。布鲁诺（Constantin Brunner）曾把人类春情发动期的感情状况比作现代精神病学家所说的躁动症（cyclothymia）。躁动症的极端病态的形式便成为躁郁狂（folie circulaire），狂喜的时期与忧郁病的时期相间交替。如普通人所了解，躁动症不过是躁郁狂的低级现象，显著的愉快时期（时常伴有思想潮涌、浮躁不安、多言等现象）与沉默和不快活的时期互相交替。许多人终生保持这种躁动症气质，却不曾成为真的疯狂；躁动症的低级现象在春情发动期是极端普通的，不过大多数人能摆脱这种现象，取得一种适当的稳定的气质。接近春情发动期的儿童的成年人应当注意躁动症的现象，应当了解这种现象，也应当加以同情的应付。

在春情发动期，这种轻微的躁动症并不越过健康和正常的界限，但不应当忘记，在这人生危险的时期，有一种现出较严重的精神错乱的倾向，有时会造成永久的疯狂。假如有一种精神错乱的遗传性，性发展（春情发动期）和性退缩（春情减退期）的时期，对于精神的健全，都是危险的。不仅如此，生殖器官发生显著变化的一切时期都是危险的，所以，在春情发动期或青年期的疯狂和春情收缩期的疯狂之外，有妊娠的疯狂（立即或生产后不久发狂），有老年的疯狂——一切与生殖器的变化多少有关。事实上，这些器官的内分泌，在人类脑筋和精神上，有非常有力的影响。也不应当忘记——据最近的见解——在这种情形下，性的荷尔蒙不过具有发动的作用。在所有明显的疯狂症中，遗传性是最关重要的。

在春情发动期，伴同那种躁动的气质，少年人很容易兴奋。由于他们要羡慕和尊敬一个人的倾向（大多数时候是一个异性），少年男女时常要选择一个最奇特的对象，一个没有人认为有崇拜价值的人。在这一人生阶段，一个少女时常对某一男演员或女演员怀抱深厚的敬意，要在剧场外等几个钟头，期望看一眼她所崇拜的对象。当时的风气在引发这种热情上当然具有重大的作用，男性少年格外容易受当时流行的“丈夫气”的象征的影响。

在这一性发展的时期，少年人时常无从了解他们自己的天性的原动力，因此他们崇拜的对象时常是与崇拜者属于同一性别的。在少女中间，她们几乎一成不变地首先对某一成年女人（时常是一个女教师）怀抱爱情。但在少年男子中间，这乃是一个结成期以永久的友谊的时期。在任何一性，以父母为崇拜对象的是少有的，不过，在少女方面，却常有崇拜父亲的事。关于春情发动期这些倾向，有一个重要事实，便是，许多十三到十八岁之间的青年人有一种过渡现象，他们性冲动的觉醒并不以异性为对象。事实上，兼具雌雄两性的倾向在青年人中间是极端常见的。一个男孩子或女孩子可以一面崇拜同性中的一个人，一面可以对异性发生身体的迷恋，以至同那个人发生性关系。春情发动期的少女们一面互相热情地亲吻，以至发生更密切的肉体关系，一面同一个年青的或成年的男人私通，这是并不罕见的。在这种兼具雌雄两性或性的无区别时期，一个有同性恋癖的成年人，会在兼具雌雄两性的青年人身上发生一种影响，使那个青年长期地或永久地倾向同性恋，只在与他或她同性的人的性关系上得到乐趣。在论同性恋的一章中，我们要加重地说明，生殖腺或精神构成的先天性质不过是同性恋的一部分原因。在这里但要说，环境的影响和较长的同性恋者的诱惑，在春情发动期，都足以使青年人有一种同性恋的冲动，假如没有这两种原因，他们会向异性恋的方向正常地发展。

当生殖器官达到成熟的绝顶时，当这种成熟过程之身体的和精神的伴随作用引起春情发动期各种现象时，于是这种在性的方面成熟了的个人，达到强烈要求满足其性冲动的时期（有时早，有时晚，通常在十六到十八岁之间）。在目前我们专谈该冲动的正常的现象。

第十二章　男性的性冲动

经过不分明的恋慕的过渡时期，完全成长的青年人，愈来愈了解他那满足性冲动的欲望。这时他喜欢与少女来往，对他所遇见的那些人中的一个或数个表示爱好。少年时代不感觉兴趣的东西，到他是一个青年时，便对他生出特殊的诱惑力。冷淡让位给吸引。或迟或速，青年人了解外部生殖器官的意义，极力想观察和玩弄一个女人的生殖器官，在文明人中间，女性生殖器是被衣服遮掩起来的。假如他先前不曾得到关于这些问题的知识，他时常从梦遗中了解生殖器官的功用，从春情发动期以后，遗精几乎是一定发生的（在十三岁和十八岁之间）；会有许多时候，他要用一定的动作取得他在梦中得到的乐趣。事实上，假如没有人教他手淫，他会自发地来手淫的。我们所说的手淫便是，用手玩弄生殖器，到出精为止（专就男性说）。这种由自己取得的满足也叫作“自淫”（ipsation），这个名词是希尔式菲尔（Magnus Hirschfeld）提出的。男女两性都从事手淫或自淫，在春情发动期，不曾手淫过的人是很少的。过去作父母的和作教师的相信，年轻时手淫过的人，生命上受无限的损害，这种见解已经过时了。现时医生们负责对大家解释，大多数人以手淫为开始正式性交的前奏。手淫伤损神经系的说法是没有根据的，手淫可以加脊髓以永久伤害的意见也是绝对荒谬的。当然，过度的手淫对成长中的机体是有害的，造成神经衰弱和容易受刺激，使手淫的人不适于正常的活动。有一些青年人，特别是青年男子，性的发育非常早，或许伴有一种未成熟的极端强烈的性冲动的表现。假如这种青年人除了频频的手淫便不能满足他们的自然冲动，我们认为，这事情固然不好，但比起过早地从事性交来（可能是同娼妓性交），总可以算两害相权取其轻了。同父母或家庭医生亲切的谈话；在其他方面从事用力的活动，使精神劳动与体力劳动相交替；高尚兴趣的修养，练习一种运动；以及适当的饮食（特别是晚餐）——一定可以减轻性冲动的强度，假如不能完全免去手淫，也可以加以很大的控制。愚蠢的父母们，只知寻欢取乐，使青年人时常有不适当的聚会和跳舞的机会，把他们的家庭弄得乱糟糟的，结果必然使他们的青年子女受到不正当的色情刺激，助长手淫或过早的性行为的倾向。据本书著者的见解（大多数医生持这样的见解），一个青年人在二十岁以前避免性交是很可能的。假如这个青年人依照上述的原则来生活，这样的禁欲对于健康绝对没有害处。

青年男子性冲动的强弱彼此间的差异很大。性冲动强的可以造成不断的性兴奋，成为病理上的色情狂。概括地来说，性交的能力在二十岁和四十岁之间达到最高峰。但也有一些少年，在十四或十五岁的年纪，便具有圆满的性交能力，他们的性冲动也几乎是无法控制的。有时一种强有力的性冲动和圆满的性交能力可以在十四岁以下的男孩子身上发育出来，在某一些东方民族中，像这样一种早期的发育当然不能算作病态的。在另一方面，性交能力和强有力的冲动发育得比较迟，迟到二十岁或二十一岁，这个人的健康或体力也不算有什么不妥。在大约四十岁的年纪，男性的性交能力开始衰退，性交的欲望和能力在七十岁以前完全消失——这不过是通常的情形，有一些人可以持久一些。性冲动和性交能力并不一定相关联。有一些人从来不曾有过性的欲望，但他们的睾丸中含有活动的精虫。在另一方面，有一些人的生殖器能挺起，也能从事性交，但不能有正常的出精。阉过的人（割去睾丸的）也可以有挺起和类似出精的现象（以摄护腺的分泌代替真正的精液）。这问题在论性无力的一章中还要加以讨论。即使在正常的人们中间，性交能力也不是一成不变的，因为这种能力不仅由生殖腺的作用来决定，也由环境、生活态度、食物与共同性交者的心理关系（格外重要）来决定。

莫尔（Albert Moll）把性冲动分别作交接冲动（contrectative impulse），和发泄冲动（detumescent impulse），前者为拥抱和接触的愿望，后者为引起销魂状态因而使勃起状态消失的特殊动作的愿望。樊德维尔把交接冲动唤作性接近冲动（impulse to sexual approximation），把发泄冲动唤作性紧张状态弛缓冲动（impulse towards the relief of sexual tension），或性满足冲动（impulse towards sexual gratification）。精液的分泌和精囊的膨胀，对于在性的方面成熟了的人，在他的全部感情生活上，有那么显著的一种反射作用，他那与性对手交合的愿望愈来愈迫切，终于达到不可抗拒的程度，或借了大量能力的消耗才能加以抑制。不拘如何，我们要再三地说，用力压制性冲动，即使在性交能力最旺盛的时期，对男性机体并没有损害。无害，但不易！除非是具有严肃的生活习惯的人，以及十分用力从事精神的和身体的劳作的人，便不易办到。虽然有不少度独身生活的人，因了那缘故，健康不受损害，不过，在一个性冲动达到平均强度的人，禁绝性交依然是不自然的，必然在许多方面限制丈夫气概的圆满发展。假如达到二十岁年纪的人，都能适当地满足他们那交接的冲动和发泄的冲动——如在比较原始的时代我们自己的祖先中间的情形，以及现代许多野蛮人和半开化人中间的情形——那当然是一件好事。但在现代西方文明国家，我们所处的社会状况和经济状况，使得早婚在大多数人是不可能的。此外，也应当承认，第一次世界大战期间和战后期间非常流行的早婚的结果，并不完全令人满意。关于这个问题，我们将来还要谈。在现存的经济状况下，一个人在立业以前不能成家，很少青年人有在二十一岁上结婚的可能，这是文明社会不得不加以适应的事实。假定大多数青年能在二十八岁左右结婚，已经是一种很乐观的现象。在这延迟下来的七八年中间，性的方面会有什么现象呢？这现象显然有三种：完全禁欲、手淫，或宿娼。还有第四种可能性，留待后来再谈。

有许多赋有特别坚强意志的人，具有显著才能的人，确乎长于创造的人，能把禁欲生活度到四十来岁，丝毫不破坏身心的平衡。但在普通的人，这种办法似乎是不可能的。至于手淫，我们已经说过，在春情发动期或成年的初期，可能是无害的，但若长期继续用来代替性交，则不能不认作有害的。我们作医生的屡屡发现，在成年以后，继续手淫，结果大大地减低以至摧毁正常的性交能力，三十岁左右不断手淫的人极易感受神经衰弱症。

既经谈过禁欲和手淫，我们现时谈一谈娼妓吧。关于娼妓的本质，娼妓存在的理由，娼妓的意义，我们要留待别的机会再谈。我们现时所要谈的是，二三十岁之间的鳏夫以宿娼来发泄性欲的问题。娼妓过去在满足婚前男子性欲上占很广泛的地位，在许多方面也是有害的。目前娼妓依然占广泛的地位，不过或许不如往昔那么广泛罢了。男人比女人富于多妻性。请读者注意，我们说“富于”多妻性——这是说，我们不同意一般性生活著作上的意见，那些著者以为男人倾向多偶，女人倾向独偶。目前只消说，我们的意见是，女人也是有多偶的倾向，不过那些倾向在男人身上格外发达罢了。由于男子这种多妻性质，于是发生一种广泛的需要：可以买得到的满足性欲的工具。这些男人的个性不能使他们控制那种迫切的要求。历史表明，各时代都有一批女人，响应这种要求，情愿把她们的身体暂时供男人使用，以换取金钱或等类的东西。这样一种买卖关系，在男性买主和女性卖主，都是没有价值的。娼妓加于个人和社会的危险（因为它那散布花柳病的倾向）是不需要多说的。此外，经常的宿娼大抵使男人变粗野。况且，宿娼与犯罪有一种密切的关联，其中含有持久的严重的社会学上的危险。固然，有许多精神坚强不易受坏影响的人，婚前偶然的宿娼似乎不会有害，但纵然如此，在身体方面感染或此或彼的花柳病的危险依然存在。总而言之，宿娼不是结婚前的青年人满足性欲的适当的办法。

期望娼妓在任何国家或将来任何时代完全绝迹了，当然是一种空想。即使在苏联[1]社会革命和彻底改造（restratification）并不曾使娼妓绝迹，也并不曾使娼妓的数目减少。事实上，娼妓是一种不可少的罪过，在绝大多数青年人都找到满足身心两方面的性要求的同样多的女人以前，这一种罪过是要持续下去的。所谓身心两方面的满足，是指精神的恋爱与性交的行为相伴而行。较之交接冲动和发泄冲动之临时的满足，这一种满足是站在较高一级的。性冲动，以及因满足性冲动而有的乐趣，都是大自然用来诱起生殖行为的，种族因此得以保持下去。因此，关于本问题的著作家们，有时谈到一种“生殖的冲动”。不过，依本书著者看来，就人类来说，无论如何，没有所谓生殖冲动的东西。固然，在一个赋有强烈责任意识的成年人，对配偶的爱情和自我主张的冲动，终于引起由所爱的女人生育子女以延续自己的愿望。在这里发生作用的是这样的感情（不过时常只现于下意识中）：用共同生育的儿童来保证父母的爱情。所

[1] 此处所说当然是革命后不久的苏联。——译者注

谓“生育的冲动”或许成为许多女人的性冲动的一种因素，至于男人方面，像这样一种冲动，就是有也是很少见的。

我们转回本题吧：“假定完全禁欲在一个男人是办不到的，根据道德的和美学的理由，他也反对手淫和宿娼，那么，在婚前性欲冲动的时期，他要作什么呢？”

于是，我们谈到第四种可能性——“轧姘头”或“私通”。这两个名词是用来形容一种不依法律的性关系的——一男一女同度一种性生活，时期可长可短，可以长至许多年。“姘头们”不一定共同成立一个家庭；但不管如何，“轧姘头”在现代有采取类似结婚性质的倾向；当局有意恢复“纳妾”这个名词来指名它；反对结婚制度的人时常把它唤作“自由结合”。假定轧姘头的人们的结合，不仅由于取得暂时性满足的兽欲，也由于不同程度的心理的同情，但不拘如何，这种爱情的结合具有特殊的性质。许多轧姘头的人们或从事自由结合的人们，有一种真正的共同利益，因此，他们虽然不是合法的结婚，却能长期同居，或至终生同居。不曲解这个名词，成功的姘头可以唤作“自由婚”；同居的人们间只要有真正肉体和精神的调和，他们的结合常比教堂或法律认可的结合更好。不过坏处是，大多数姘头容易分散，时间大致不长，而且常由于男方残酷的主动。并且，以同男人轧姘头著称的女人，比别的女人难于找到一个愿意同她结婚的认真的求婚者。性道德的双重标准在这里显出作用。作妻的很少因为她们的丈夫婚前轧过一次或多次姘头而看不起他们；但男人们大致要对他们要娶的女人加以苛求。固然，近年来道德标准已经有一种变迁，结果有许多男人不因他们要娶的女人先前有过姘头而认为不妥——假如他们在这方面也不是白玉无瑕的，那就更加如此了。

因此，概括地来说，我们可以说，所有应付婚前青年男人强烈性冲动的办法，以轧姘头（经常与一个互相爱慕的女人发生性的关系）为最幸福的，最道德的。不过，我们不应当忽略这事实，姘头关系解散的时候是危险的，即使在现代，女人所冒的危险比男人大得多了。假如女人已经得到经济的独立，在一切重要活动部门，得到与男人完全平等的权利，那么，她在幸福和安全方面所冒的危险便比较小。不过，别的不说，这事实应当记在心里：姘头关系大致要由男人一种偶发的幻想破裂，像这样一种关系，既不适合女人的尊严，也不适合女人的天性，进一步要考虑的是，轧姘头多半是为了满足男人的性冲动。在论女性的性冲动的一章中，我们要比较详细地解释，在普通的女人，控制性欲比普通男人容易得多，也不像普通男人那样会妨碍个性的发展。因此，我们最后的结论必然是，在一个男人，轧姘头既然是解决婚前性需要的最好的办法，所以对于他是有利的——但在一个女人，轧姘头却大可以使她失去一切呢。她可以失去比较幸运的环境下大自然所能供给她的一切，那便是，结婚，作母亲的快乐，家庭幸福。所以，我们主张，将来应当用力实现的理想是提早结婚，固然，我们不得不承认，这在一般大众，是有很大的困难的。若要使提早结婚成功，男女双方必须有合得来的个性，相当成熟的品格，适当的经验和知识，再加上抵御共同生活中必有的灾难和困苦的能力。要记住，当我们谈“提早结婚”时，我们所用“结婚”这个名词是广义的，我们所指的是一种希望经久也真能经久的结合——至于这种结合是否由法律或教堂认可，或由双方自始至终认作“自由结合”或“姘头”，在所不计。

由于近来社会生活的变化，“性的饥饿”，对于社会各阶层的青年男子，实际上不再是一个严重问题。结成临时性关系的机会比旧时多许多，因此手淫和卖淫的两种难关可以避免。不过，在性问题上，迫切需要的东西和实际可能的东西中间的差异依然存在，因为文明使得人类在许多方面与大自然失调，所以人类不能像许多低级动物的样子，随时满足他的性冲动。因此，爱情的冲突，性生活的失调，继续在美文学中占很显著的地位。

第十三章　女性的性冲动

一个感觉性正常的女人的性冲动，远不如男人的强烈。但在另一方面，她的性爱却是她的全人格的表现，她的精神平衡的属性。所以拜轮（Byron）写道："男人的爱情是生命以外的一种东西，女人的爱情却是她的全部存在。"《唐皇》（*Don Juan*）中这两句诗几乎可供一切讨论性生活问题的论文引用。

两性解剖上的差异和生理上的差异，足以说明男性的性冲动表现得格外早，格外明显。男性青年因勃起和遗精觉知他的生殖器的功用，少女却不能因月经明了她的生殖器之交合的目的和生育的目的（倘非经过特别的指导）。造成此种性差异的另一件事是，女人在性生活中的任务根本是被动的，根本是受动的；她把全部自己，全部身体（不仅子宫）用来营养因交合而有的胎儿。女人的性爱远比男人的更富有生殖冲动的色彩。我们已经指出，性交的要求中含有延续子嗣的感情，在男人是一种例外。但在女人，至少在健康的正常的女人，本能的性要求的一部分是想同所爱的男人生育儿童。生产率低落引起许多方面的忧虑，这断乎不是一般女人不再有作母亲的愿望。推动女人从事性的结合的，不是满足性欲的要求，乃是心理的因素，最重要的是同情心。一言以蔽之，在女人，爱情是性行为的一个重要条件。一个正常的健康的女人，若仅只为了性欲的满足，在一个短时期内，同几个男人发生性的关系，不能不大大地丧失自尊心。这一条法则当然有例外，不过很少见，大致限于有精神病倾向的女人。但无数的男人，特别在青春时期，可以寻求性冲动之纯然兽类的满足，可以一再那样作，在身心两方面不感受任何损害——假如他们幸运到不传染上花柳病。

大自然已经规定下，在爱情的运动中，男人要作追求者，女人作被追求者，男人要作主动的角色，女人作被动的角色。一个男性青年和一个女性青年感到互相吸引、被超过意志的冲动牵引在一起，当他们最早的爱情的结子形成时，男性青年（概括来说）的欲望显然倾向性交的目的；女性青年在正常的情形下，虽然感到一种身体接触不分明的倾向（交接的冲动），却很少有从事性交的意思。所以女人在这方面的态度是被动的。初次性交，由于处女膜的破裂，总使得女人痛苦，而执行这破裂动作的男人却感到一种强烈的快乐。在大多数女人，要经过连续的性交经验，才能达到快乐的顶点。但有不少女人，除了使对方快乐之外，不能从性行为上得到任何满足。这一点也并不一定使她们感到任何缺陷。成千成万在性行为上感不到任何满足的女人，依旧怀孕，生子，而且时常把自己看作幸福的太太。不过，假如男方是体贴的，多情的，女方有过正常的性交经验，她多半可以或迟或速地达到快乐的顶点。不过她的性冲动的满足，大部分由她同男方之性的和谐来决定，由她自己的身体的气质来决定，由她的生活的一般态度来决定。[性交上的不满足时常引起所谓“花癫”（nymphomania），不能餍足的性交要求。] 在正常的女人，特别是正常的处女，性冲动从属于精神的爱情，而且，如前面说过的，一个女人的爱情生活倾向儿童的生育，在程度上是与男人大不相同的。当然，会有人告诉我们，这见解是过了时的——女人在性问题上的见解、倾向、感觉，近年来已经有了很大的变化。诚然，近来，在各社会阶层，实行婚前和婚外性交的少女和妇人大见增加；改变性对手在女人中间几乎像在第一次大战前男性青年中间一样普通。这是女人的性习惯终于变得坦白和“自然”的象征呢？还是先前的情形“自然”，我们要把现在的情形看作一种退化的象征呢？

现时女人们，或许多女人们，主张过去由男人主张的和专有的性自由，她们有什么理由呢？仔细讨论起来，不免要越出本书的范围。不过，我们要指出，男女两方实际的性差异，身心两方解剖上的和官能上的不同，依然应当加以考虑，这依然是一种事实（布鲁诺把这问题发挥得很透彻）。所以普通的人们“依旧把‘撒过野种’的男人看作（或格外看作）适当的丈夫，却不把‘度自己的生活的’、或许有过一两个私生子的漂亮女人看作适当的太太”。虽然本书著者不像布鲁诺那样把多夫的女人斥作娼妓，虽然我们知道，现时比过去有更多的男人，愿同明知有多夫倾向和行为的女人结经久的（不，终生的）爱情关系。不过，我们觉得，像这样一种思想的和行为的“自由”必然是一种堕落的病态的思想，假如持这种思想的人对广大的世界不断地发生影响，必然要危及我们现存社会秩序和文明的安定。

事实上，我们并不十分怕这一类的事会发生。由于我们对这问题的态度，许多我们的读者或许会把我们看作反动的道学家，虽然我们对性健康的别种问题持进步的见解，倾向左方。所以，让我们解释一下，把性改良运动同政治混为一谈，我们认作极端不幸。我们的性生活，何者需要改良，何者可以改良，只能由自然的法则来决定。哪，这些法则的发现和了解，纯然是一种科学上的问题，与政治无关。假如性改良家揭起政治的旗帜，只能使这问题混淆，也妨害了反虚伪、反假道学、反双重道德标准的运动。诚然，现时那些反对旧礼教、主张性生活健康的人，时常宣说，女人要在时时改变性对手方面得到与男人同等的自由，人类的幸福才可以实现。我们不能赞同这些极端派。

让我们再引证一次布鲁诺的见解吧。这位作家描写塔希提岛发现时那里存在的自由恋爱社会。女人在追逐性快乐上不受任何限制，随意放纵她们那多夫的倾向，实行杀婴。布鲁诺想到我们社会中“塔希提式”的女人，他对性改良家中间的假先知们说了下面的话：“因为爱情必须从属于结婚、家庭、社会、国家、人类生活，所以不得不有一定的限制。那些要改革爱情的人，那些主张爱情只从属于爱情的人，那些主张女人在爱情问题上可以有与男人同等的自由（因为她们是与男人平等的）的人，……想要解散所有团结生活的结子，一言以蔽之，想要沉溺在爱情里。这便是自由恋爱的理论，一种荒淫无度的理论。拥护这些理论的人想由堕落的路重返乐园！像这样的理论，像这样的思想，不能达到自由。诚然，我们应当斗争，从虚伪的习俗和不必要的社会礼文中解放我们自己；但那些想从植根于大自然的客观性的限制中解放他们自己的人，所得到的不是自由，乃是堕落。”

第十四章　性冲动与结婚

对于前面所说的双重标准，我们究竟应当作何主张呢？依从自然，依从男女两性性冲动的自然差异。男人比女人偏于多偶性。他们可以在性交上放纵，不影响全人格。在另一方面，女人比男人少具多偶性。女人的自然命运是作太太，作母亲，普通的女人远不如普通的男人那样具有变换性对手的需要。不过，在西方文明国家，由于社会秩序和社会状况不良，使得无数结婚早生育快的人陷入可怕的贫困。相爱的人们无法断定所爱的对象宜否作永久的伴侣。青年人格外要注意赶快结婚的危险，因为他们会过早地负起养儿童的担子。在另一方面，吃惊于生产率的低落，以为足以危及国家的存在，于是国家大声疾呼地反对打胎的处置——结果这种手术在暗中进行下去。打胎的惩罚完全未得到合意的结果，仅只增加阶级的矛盾和阶级的仇恨。富有的人们可以随时随意在十分安全的条件下打胎，大众则只能在时常危及生命的条件下实行这种办法。假如由着每一次的怀孕到期生产呢，这在大多数人，不免要造成危及儿童利益和结婚幸福的家庭状况了。显然的推论是，这种危险要用适当的节制生育的办法来免除。

请大家注意，我们所说的是结婚生育中的节制生育。至于用了节育的办法来便利婚前和婚外的性行为，以为这样可以克服当代性的痛苦和许多婚姻的危机，像这样的主张，我们并不同情。因为男人比女人偏于多偶性，他们曾经主张随意随缘改变性对手的权利，但不能由此推论，女人也应当具有这样的权利，因为女人较少多偶的倾向，大自然不曾赋给她们这种权利。她们若要用同样的胡调来平衡她们的丈夫的胡调，乃是没有道理的。我们再说一遍，由于大自然的限制，假如女人在这些问题上要像男人一样自由，必然造成严重的后果——危及她们自己，危及家庭，危及国家。同时，假如男人比一般习俗更用力控制他们的多偶的倾向，我们看不出这对于他们有任何损害（除了少数性冲动临近病态的程度的人)。这一种自我控制并没有什么不自然，时常引用的“变换的乐趣”(varia tio delectat)和“久而生厌”(toujours perdrix)等说辞不过是似是而非的借口。过去女人仅被看作男人性的享乐的对象，在那时的男人，为了享乐起见，什么女人都好。幸而那个时代已经过去了。晚近经济的和社会的改革，给了女人与男人同样宽大的活动范围。现代的女人普通地被看作男人的对手和同志，假如在性问题上她被列在比男人低的地位，她大有感到屈辱的理由。为了这缘故，现代具有正当责任意识的男人必须选择于下列两者之间：或把他有意主张的性自由给他的太太，或限制他自己多偶的倾向，以便他和他的太太可以共同趋向一夫一妻的理想。

假如后一种主张胜利，假如男人必须多偶的理论失效，那种想把男人一向拥有的性自由给女人的运动也就不能存在了。不过若要达到真正的一夫一妻制的理想(不是那种貌似一夫一妻制的理想)，结了婚的夫妇必须免去因生产过多无力负担的子女而引起的经济的困难和性的困难。

有许多国家以为生产率低落足以危及其生存，于是用尽力量阻止节制生育。不过，这种见解并未普及各地。一种代表国家鼓励节制生育的运动推行开来。英国贵族院已经通过赞成公开指导节制生育的议案。即使在德国，医学家也注意到这情况的必要。他们开始明了，假如大众，虽然数量减少，更富于人生的乐趣，那么个人的幸福和社会的利益都可以进步。他们开始明了，假如戏院只有二千人的座位，售出五千张票是胡闹的；假如一只汽船只能容一千二百人，要它载二千人是荒谬的。

这里不便详细讨论节制生育之社会学的看法，只能指出，在平时或战时的竞争中，人口比较多的民族不常是最成功的。拉西狄孟人[1]杀死所有身体或精神不健全的儿童，斯巴达的人口从来比雅典少。当腓特烈大帝战胜他的邻国时，普鲁士的人口比她的敌国少许多。在部落和民族间争取权力，质量比数量更能决定胜负，像这样的例子可以举很多。国家一年一年地用去成百万的钱，以延长精神残缺者的寿命；用去成百万的钱，来抵制痨病和他种传染病——像这样的疾病，是可以由国家节制生育的组织来限制其发展的。节制生育的普及，可以

[1] Lacedaemonians——即斯巴达人。——译者注

使我们人口的质量在几代内有很大的进步。有那么多父母恐怕生太多儿童，这种恐怕可以算作一种生理的安全瓣。不了解节制生育的企图是群众表现的一部分的个人（妻或夫妇），乃是极端个人的，民族像个人一样有它自己的生活；从狭窄的见地来看，许多人认作病态现象的，若从宽广的见地来考虑，便知道是染病的民族机体的一种自医企图了。

关于个别男人结婚生活的幸福，我们再一度主张，一种节制生育方法的知识对于这种幸福是重要的，在这些问题上的无知，会使得一个家庭负担太多的儿童，作妻的健康也会因怀孕太频繁而受损，也会使得生育太多的母亲从事不妥当的打胎。我们认为，处罚打胎的法律应当加以修正。这些法律条文现时把许多孕妇驱入江湖医生的掌握。更应当指出，节制生育知识的散布，可以免去打胎的烦恼；某一些节制生育的方法也足以防止花柳病的传播。在本国〔德国〕我们还不曾正式采用希尔式菲尔（Magnus Hirschfeld）的意见，也不能明白指示节育方法而免于被控，乃是极端不幸的。英国在这些问题上已经得到解放。著名妇科医生海尔（Norman

Haire）首先在伦敦开办了一个诊所，指导已婚的妇女使用避孕的方法。（在海尔的诊所，每一个妇人得到合格医生的指导，这实在是空前的。）下一章便要讨论这些方法。

第十五章　节育法

在开始详细讨论节育法以前，应当先指出这事实：这种方法只有经常的使用才有奏效的可能，因为一次不用便可以造成怀孕的结果。我们所要介绍的一切方法，都有这样的好处：都不至使人绝育，使用这些方法的人们，任何时希望有小孩，只要停止使用这些方法，便可以达到目的。倘非男方或女方本来不能生育，一定可以怀孕。用外科手术绝育，在男女两方都是无法挽回的，所以我们不在这里叙述那些方法。我们知道一些女人，曾经用外科手术（缝闭输卵管或包裹卵巢）求得暂时的免孕，到后来她们急于想生小孩时，她们的生育力却不能再用外科手术恢复了。结扎女人的输卵管和男人的输精管，都造成永远的绝育，前者阻止卵子进入子宫，后者使精虫不能射出。用 X 光或镭射气照射生殖腺，求得暂时的免育，也是不相宜的。那效果是暂时的，不固定的，经过照射以后，卵子或精虫可能受了损害，结果在儿童身上留下不良的影响。海勃兰德（Heberlandt）提倡荷尔蒙免育法，曾经普通报纸大事宣传，实际上也是靠不住的。因了在母兔身上所作的实验，海勃兰德相信，把从孕兔身上提取的荷尔蒙注射或喂养其他的兔子，便可以得到长时期的免育。不过，第一，他的实验的正确性不无可以怀疑的余地；第二，即使他在兔子方面所得的结论是正确的，把这结论推广到人类方面，以为女人注射了或吞食了某种卵巢分泌便可以免孕，还没有科学的证明。注射极端稀薄的精液，使女人能生育，也有人试过，但结果是不确定的。

其次，我们讨论一下化学品的使用，便是，把化学品放进阴户内，作为一种避孕的办法。其中有一些直接杀死精虫，或增加阴户内部反应的酸性，以妨害精虫的活动：有一些用后起泡，围绕子宫口造成一道泡沫的防壁。此种化学品所取形状不一，有流质的，有半流质的，有粉质的，有膏状或坐药形的，等等。不拘怎样，这些都是靠不住的。关于那些要在阴道中溶解后方能生效的化学品，必须记住，这些化学品有的方经制成，有的存贮了很长的时间，因此溶解的速度有快有慢。至于起泡的化学品，起泡的作用显然需要一定的时间，而时间的长短，不仅由制成的久暂和制造的精否来决定，也由子宫分泌的反应来决定，因为酸性的强弱和碱性是因人而不同的，即在同一女人，也因时间而不同。此外，以避孕号召的化学品，有许多固然由名厂制造，也制得很认真，但市场上充塞了劣品，有的成分不固定，有的绝对危险。海尔发现，买自德国的一种样品含有藻类以至细小的动物有机体。一言以蔽之，使用此种方法的结果还不能使人满意，我们必得把这些方法看作不可靠的。据希尔式菲尔和林塞尔（Linsert）指出，此类方法的使用，结果总归失败。况且，此种化学品的使用，一定要在性交前短时间内，而在那样的时间，男女双方多半不去关心这一类的问题了。

另一种避孕药，在性交后置入阴道，目的在把精虫杀死或洗去。这种东西的使用，往往来得太迟，因为，只要有一条精虫进入子宫，那就太迟了。不过，女人们在性交后依旧多用灌洗法，希望借此可以避孕。主要的目的在洗去精虫，至于水里是否加入化学品，没有多大关系。我们断乎不否认，性交后此种灌洗的卫生价值，不过这种办法在避孕方面的功用就太不足恃了。

因此，我们不得不重视物理的方法，便是，在射出的精液和子宫口中间加一层隔障。一切用在子宫内的器械，本书作者都认作有害的，因为这种东西可以引起子宫炎，也可以使有机体侵入，因而造成严重的发炎。在另一方面，环绕子宫颈阻塞子宫口的套子却是完全无害的。弗连斯堡（Flensburg）的妇科医生闵辛加（Mensinga）是首先提倡这种办法的人（在一八八一年），他所用的是一种半个空橡皮球形的套子——因此这种器具遂名为闵辛加套。套子作成多种尺寸，使用这种套子的女人，要由高明医生考量其子宫的大小和位置。在适当的指导下，一个女人可以很容易地学会独自装卸这种套子。假如时常除下来，洗净，这种器具是绝对无害的，假如装置得合式，也是一种可靠的避孕法。不过，如要加倍安全，不妨在性交前使用前边说过的化学品，或在性交后、除去闵辛加套以前，用稀薄的醋酸矾溶液灌洗阴道。

伦敦妇科专家海尔，乃主张有系统地指导节育的先进，在所著《流行节育法的比较价值》小册中，用下面的话说明子宫套的使用：

我曾经作过一个简单的半圆形的橡皮膜，四周用一个扁平的表发条绷起来。用时可以缩起，使凸面向子宫颈，凹面向阴户。发条前抵耻骨，后抵阴道后壁。发条与阴道筋肉相适合，即使在性交的时间，也没有任何妨碍。阴道的穹窿完全阻塞，精液在性交时不能进入子宫口。但在单用这种东西时，也有过少数失败，因为，在性交以后，精虫还可以从套子与阴道壁相接处侵入，虽然这是不大容易的。因此我开始建议，套子上应当涂硼素膏；这样，假如一个精虫想绕过套子边缘，它的活动将被脂肪所阻碍，而且被硼酸杀死。这是比较满意的，不过膏药中的油质使橡皮破裂，所以我设计一种无脂肪的乳酸膏，以代替硼酸膏。这种避孕膏的名字是Contraceptalene，在使用套子以前，两面都涂上药膏。套子一经装好，男女两方都不感觉它的存在，因而不至减少双方的性的满足。套子的尺寸有十七种，从直径五十公厘到九十公厘，最通用的尺寸是从六十到七十公厘的。要紧的是，一开始要由医生配好，因为假如尺寸太大或太小，便不易生效。医生同时指导使用者怎样置放，大多数女人学来十分容易。我只发现四个女人不能或不肯学习使用这东西。这东西可以在夜间入睡前装上。假如发生性交，女人不需要起来作任何准备，可以无忧无虑地入睡。第二天早晨，她一起床便应当用肥皂水灌洗，然后除去套子，再用肥皂水灌洗。这里应当指出，灌洗时应当取仰卧的姿势。假如灌洗的人取坐或俯的姿势，她的筋肉压在一起，因而水不能直达阴道的穹窿。

使用的人不可以把套子留在阴道内几个星期或几个月。反对避孕的人有时以引起阴道炎为理由反对使用这种套子。关于这问题，我的解答是：假如一副假牙齿在嘴里留几个星期或几个月，不除下来刷洗，也必然引起局部的发炎。不过，发炎是由于工具误用，没有通达的人会怪罪假牙齿或子宫套的使用，假如用得适当，这两种东西都是十分无害而有益的。

子宫后倒使得这种套子的安置有一点困难，不过假如把套子多向后推，少向上推，这种困难可以很容易地逐渐克服。

严重的会阴破裂会使得套子无法停留。在这种情形下，只要把会阴修补好，便可以装套子进去了。

有一个最重要的问题，也是讨论避孕时从来没有人道及的问题，便是：使用任何种子宫套的女人，断乎不可以有严重的便秘。扩张的直肠凸入阴道内，使得子宫套难于装置。严重的便秘所引起的危险是说不胜说的。

关于这种修正过的闵辛加套的使用（在英国常被唤作海尔套），应当提一句：发条不应当直抵耻骨后面。假如那样，腹内压力一经增加（例如由咳嗽或喷鼻或其他动作引起的），会把套子挤落。普通的倾向是使用太大的一种，结果，腹内压力忽然增加，那器具便纵卧在阴道内，而不是倾斜的了。

最后，这种套子最好每夜装上去，作为晚妆工作的一部分。假如直到有意性交时然后使用，那在敏感的人们，会损害性行为的自发性。

这便是女人用的最好的免妊法、避孕法，或节育法。由于同一原则，男人在性交时也可以带一种套子，阻止精液进入子宫、供挺起的阴茎带的套子，过去是用山羊或羊羔的盲肠造的；但在现时，薄橡皮的套子用得更多了。一只套子的效力如何，用后倒水进去，便可以实验出来。假如它不漏水，这次性交便不至有怀孕的结果。使用这种套子有一个缺点，许多男人和女人怨诉，这种套子的使用，妨碍了圆满的性行为的乐趣。其中有一部分可能出于想象；不过，没有疑问，有许多人感觉到套子的存在，虽然用适当的脂肪涂抹阴茎和套子表面，也不能把这种感觉完全除去。在那种情况下，要有一方或双方发生神经不安，因此这种东西用得不如理想中那么普及。不过，由于橡皮套子的制造技术所达到的高水准，性交时破裂的危险实际上是没有了，只要这东西是新近制造的，未在使用者的衣袋中贮藏得太久。虽有前面所说的缺点，这东西大致是最流行的节育器具了。这东西另有一种好处，在避免花柳病上具有主要的功用，可以减少传染淋病、软性下疳或梅毒的危险。从这观点上来说，正如从避孕的观点上来说，套子的长度要能包裹全部阴茎。仅能包裹龟头的短套子是用不得的，靠不住的。

假如在男人用套子时，女人更在性交前用一种化学品，或在性交后施行灌洗，作为避孕的手段，那就格外安全了。

一切满意的爱情关系（不拘这种关系是暂时的，或永久而专一的；永久而专一的爱情关系对个人对社会都是最理想的）的物质基础是，男女双方的性生活应当是和谐的。假如男方或女方或男女双方怀有怀孕的恐惧，这种和谐便无从得到。要想免除这种恐惧，女方应当经常地用子宫套，或男方经常地用阴茎套，为了格外的安全，不妨双方并用。鉴于所有现代文明国家（苏联除外）的法律状况，避孕法显然比怀孕后的打胎可取——在女人方面，也的确比打胎安全得多。

有一种过去常用的避孕法（来源最古，见《创世纪》

三十八章九节），实际上是要不得的。我们所指的是性交中断法，便是，在将要流精前，阴茎从阴道中拔出。假如常用这办法，结果会使男女双方患神经错乱、心悸等症。

假如男方或女方患有足以减少或打消性行为的乐趣的某种状况，也可以危及成功的结婚生活所靠赖的物质基础。我们所指的是男方的性无力和女方的性冷淡。

第十六章　男方的性无力

性交的无力

专家们把性无力分作两种：性交的无力（Impotentia coeundi）或生育的无力（Impotentia generandi）。患生育无力的人依然可以有正常的性交。普通人说性无力，所指的总是性交的无力。关于生育的无力，我们要在本章结尾时略提一提。现时我们所谈的性无力，是狭义的一面，便是，性交的无力。

男子的性力基于神经中枢（脑和脊髓）与生殖器官（阴茎、睾丸、摄护腺、精囊）的合作。性无力或由这些器官之一局部患病造成，或因某种感染妨害这些器官间的合作，或由某种较广泛的失调造成。假如没有身体的失调，心理的原因也可以引起性无力。故在身体的无力之外，有“心理的无力”。

在前面一章中已经解释过，在正常状态的限度内，性力因人而不同，即在同一人，也因时而不同。这里所说的性力，指挺起持久性、力量，等。假如一个人的性力在通常要衰退的年龄衰退，那人总把他的性无力看作病态的，因而觉得这种生活是无法忍受的。关于这种老年的衰退，开始衰退的年龄上的差异是那么大，我们不能定下可以认作正常状态的法则。约略来说，大致可以说，一个人的性力在达到五十岁以前显著地衰退可以看作病态的。至于五十岁以后衰退，那状况是否正常，便应当由医生来决定了。

性行为“正常的”度数，怎样是低于正常的，怎样是正常的，怎样是超过正常的，也都是很难讲的。在这问题上，各个人的差异是很大的，前边已经说过，性力要由许许多多的因素来决定。一个人的职业，他所达到的等级，他的工作占去他的精力的程度，饮食，气候，各有各的作用。此外，性交频繁与否的倾向和能量也是一个个人体质问题。所以人与人之间的差异是很大的。我们可以指出某种体质较之其他更富于性力。不谈体质，环境在性力上具有重要的影响。例如，一个还在盛年（假定是四十来岁）的人，与一个半于他的年龄的人结婚。在二十来年的鳏居生活中，他时时放纵他的性欲，从不曾研究抵抗临时诱惑的技术。像这样一个人，一旦娶了一个年青的太太，在蜜月期间，很容易在性欲方面不加节制——这样便常常造成过早的性无力。一个权威（Vaerting）甚至说，在“母性保护”运动之外，应当有一种“父性保护”运动，免得作丈夫的在太太的性要求之下陷入过早的性无力。我们这样提一下，不过出于好奇，并没有赞同这主张的意思，因为我们不相信这危险会传播开来！

在城市生活中，工作繁忙的人们，一星期两次性交可以看作平均的度数。奥尔娄夫斯奇（Orlowski）和许多别的权威们宣称，在性力最旺盛的年份，假定从二十五岁到三十五岁，每天性交（一天或一夜内不多过一次）算不得有害。本书著者不能断定这样频繁的度数是否安全。在另一方面，本书著者当然同意奥尔娄夫斯奇所说，在一夜之内，有几次性交，大致是有害的。奥尔娄夫斯奇相信，假如一个鳏夫（这是常有的）每星期造访他的情妇或娼妓一次，每次有连续的性行为，这人大致要在四十多一点的年纪上便变成性无力了。“这样的人，像在童年失了乳齿一样，耗尽他的性力；但在别的方面，他可以依旧是健康的，旺盛的”。假如这见解是靠得住的，这一种性无力只能算作准生理的（Quasi-Physiologecal），用医药来救治是没有效果的。有人对一个女人在性交时不能有满意的勃起和射精，但对另一个女人，他在这些方面完全是正常的，对于这样一种情形，我们也不能看作真正的性无力或病态的表现。许多女人也有这样一种相对的性无力状况，对一个男人，她在性交时是冷淡的，无反应的，对另一个男人，她在性交时具有充分的性力，而且能达到快乐的顶点。不过，我们愿乘这个机会再一度声明，现时关于男性的多偶气质和女性的独偶气质的谈论，并不能使我们把“变换的乐趣”这句著名的口头禅认作有道理的——不拘如何，也不能认可男人常常或偶一改变性对手是有道理的。（在许多地方，女人们近来有意在这一方面主张同等的权利，我们更加不赞成。）在结婚以前，多年来习惯于纯然兽一般的性关系的人——他们与女人性交，完全出于肉体的需要——一旦结了婚，当然时常变成性无力了，特别是年长的冶游者，初次受了对一个女人的真正爱情、尊敬、崇拜的感动，时常暂时地或永久地不能完成性行为。连续不正当的性行为在记忆中留下了痕迹，在改变了的状况下，这种行为的重复，便有意识地或无意识地被当作一种亵渎神圣的行为。这一种“罪过的错综”（guilt complex）会使得一个人永远不能同他的妻性交，但对娼妓他依然完全能完成性行为。

这种精神物理学的机体的重大意义，曾经弗洛伊德作了可称赞的解说，他的研究有很多成就，使这问题成为可以通晓的。关于精神分析学的重要性，不拘是一般的，或关于性无力及性神经病之分析的治疗，我们都不能在这里作详细的讨论。我们觉得，弗洛伊德的信从者和门徒作了许多把他们的老师的教训弄模糊的事，但我们无意低估弗洛伊德的发现的重要性，也不要下一种最后的判决，把精神分析学看作一种动力的心理学。我们依旧不能不说，许多精神分析者把他们的技术实际的重要性估计得太高，把他们关于基力（libido）的概念范围有意作不适当的扩大。

据弗洛伊德的见解，假如一个很年轻的人有了性无力的现象，这一定是由心理的过程决定的。弗洛伊德学派主张，每一个人的性生活在很早的童年以基力的形式表现出来。基力这个名词的原意指一种性满足的要求，经弗洛伊德自己和他的学生作了很多种的解说。弗洛伊德学派的人们说，在正常的状况下，小男孩对他的母亲有一种无意识的性依恋，小女孩对她的父亲有一种无意识的性依恋。由于对双亲之一有了这种异性的感情，于是生出一种敌对的意识，使得小男孩妒视他的父亲，小女孩妒视她的母亲。这种感情都被“压在无意识中”，儿童在清醒时完全觉不出，但在睡眠时，无意识的活动和近时的经验结合起来，以梦的象征出现。被压在女孩或男孩的无意识中的与父母的异性恋，敌对的意识，按情势毁灭父或母的愿望，乃是弗洛伊德学派所描写的诸多错综之一。弗洛伊德学派极端重视这一种错综，他们称之为“伊狄普斯错综”（Oedipus complex），以纪念希腊神话中杀父娶母的伊狄普斯。

无意识中的“压制”不永远是完全的。潜伏的感情时时向意识中探头，这种活动在当事者时常是不愉快的或不幸的。在达到性的成熟以后，这种事是大致要发生的，这时青年男子感到女人们的吸引力，而这些女人总与他童年所恋爱的母亲有一种色情的同类关系。在一个女孩呢，则感到男人们的吸引力，这些男人唤起她的父亲的影子。在另一方面，据弗洛伊德的学说，现在无意识中的所恋爱的母亲的影子，与人类本具的乱伦的倾向（乱伦的梦，等等）结合起来，时常使一个男人选择一个与他的母亲确乎不同的类型的女人作他的性对手。有时他那无意识的或半意识的对乱伦倾向的反抗发展得迟，据弗洛伊德说，这一点，说明一个男人的性要求开始被一个与他的母亲同类型的女人所引起，后来，在无意识的罪过意识激动之下，他觉得他幼年的乱伦愿望在与他所选定的女人性交中象征出来。作为这种无意识的实践的结果，也由于罪过意识的影响，“自我”会用性无力来惩罚自己所犯的罪过。这是弗洛伊德用来解释性无力的各种方法之一。不过，所有的解释都牵涉到伊狄普斯错综、乱伦梦的解释，以及弗洛伊德学派概念武库中无数武器的使用。（欲知其详，可参考弗洛伊德的《精神分析学导论》。）

本书作者一方面断乎不否认弗洛伊德的发现具有天才的印记，在另一方面，对他许多门徒的执迷态度所造成的结果，却加以慨叹。关于这问题，不便在这里作更详尽的讨论。性无力没有疑问时常是纯粹心理的（由心理的活动造成的）；在那种情形下，精神分析学时常可以加以治疗。不过，既经治愈之后，不应当忘记，这或许是那些能操演一种暗示力的人们的精神治疗力的结果，纵然他们据以建立分析方法的学说是错误的。一言以蔽之，据我们看来，许多精神分析家所得到的不可否认的实际的成功，时常可以用别种精神治疗法得到。

当性无力纯然由于肉体的原因时，这不一定说，睾丸或阴茎会是不正常的大或不正常的小。时时有青年人因阴茎或睾丸很小去见医生，恐怕他们不久就要变成性无力。有不少人因这种恐惧造成暂时的性无力。因此，我们极端加重地说，一个生有特别大的睾丸或阴茎的人会是性无力的，而生有很小的生殖器官的人会有非常旺盛的机能。固然，包皮狭窄或尿道狭窄的人在性交时感受痛苦，因而间接地造成性无力。对于这样的人，只消小小的外科手术，便足以医好由这种原因造成的性无力。在这一方面，我们应当再一度提到阴茎炎性变硬（inflammatory induration），时常是一边的，但也有时是两边的，使得海绵体不能适当地充血，因此当勃起时这器官歪向一边。这样的病人只需要局部的治疗，有许多病人可以用镭射气或X光治愈。

性无力最重要的种类大别如下：（1）虽能勃起和射精但无性交的欲望。（2）缺乏勃起力。（3）缺乏射精力。（4）勃起正常，但当从事性交时，时常在刚要插入时，平常在达到性快乐的顶点前，射精过早地发生。

（1）缺欠完成性行为的适当要求，缺欠基力，经过相当的时期，必然妨害勃起力。假如性交的顶点不是充分快乐的，或射精实际上是痛苦的，这种情形愈多发生。基力缺乏常由于神经衰弱，特别是由一种传染病造成的，例如感冒、肠热症、猩红热，等等。这种病患有时起因于金鸡纳、铅及他种化学品中毒。长期纵酒也可以使基力衰退；长期吸烟过度也可以得到这样的后果，不过这是不大被人知道的。事业的关切、忧虑、兴奋，不充分的食物、不适当的气候——这一切都可以发生作用。关于这一类的病人，检查生殖器官不常能得要领。每一个病人应当按其特殊情形治疗，最重要的对策要从一般的状况和食物方面入手，同时缓和心理的紧张，改变空气，与往常的性对手分离，倘非性要求出于自发，避免一切性行为的尝试。这种办法或迟或速时常能发生效果。

（2）假如有一个病人，由基力减退或基力缺欠而勃起不正常，而射精过迟或过早，我们时常（并非定而不移的）发现，后尿道里的小突起有肿胀的现象。这种病象需要专家医治，假如病象由于其他局部的伤口，例如因淋病或伤害在尿道黏液膜上造成的疤痕，也需要专家医治。

（3）和（4）射精不能，更多的是射精过早，大致由于后尿道充血或发炎，或由于脊髓里的射精中枢过敏，或由于二者并发。长期实行性交中断时常成为此种病患的原因。作为一种避孕的办法，在性交时将要射精之前，男方拔出阴茎，他的生殖器官因而得不到松弛，日久天长，连续充血的结果大致要影响后尿道和后尿道突起。长期实行性交中断必然是有害的，而且受害的不止男性一方。男女双方都常因此发生心脏病。

射精过早，勃起作痛，或完全性无力，有时由于摄护腺发炎，时常与轻微的后尿道突起肿胀并发。精囊病有时也成为性力失调的原因。潜藏的病患大致是这些小囊慢性发炎，由尿道的淋病或非淋病发炎扩大而成的。遗精时常起于精囊发炎。纵然是健康的人，大便时粪压膀胱底部，有时也能引起遗精。遇到这种现象的人，往往要大惊小怪，因而影响精神，时常引起附属的性力失调，因为没有充分的解剖上的原因。固然，这种大便时连带发生的遗精，当精囊发炎或胀大时也多半要发生；不过，假如发炎不是结核性的，这病的自身并没有危险。不过，它可以间接地引起许多病患，特别是在具有先天性的神经衰弱气质的人，遗精的恐慌往往造成神经衰弱。高明的医疗可以解除病人的恐慌，因而医愈神经衰弱，但有时精神平衡丧失过度，由此发生的性无力成为无可救药的。在这一类问题上，应当记住，出卖秘方的江湖医生惯于利用遗精和射精过早所引起的恐慌！他们使用的“特效药”时常是育亨宾[1]、含氮质、磷、砒、

[1] Yohimbin——由非洲产的育亨宾树皮中提炼出来的一种植物碱质。——译者注

马钱子等的混合物。在往时，医性无力多用斑蝥素。这是一种极端危险的药，因为有许多人（纵然用很小的分量）因此发生严重的肾脏炎。关于所有这些通称“壮阳剂”的医治性无力的药品，我们现时知道，它们偶尔奏效，主要地（倘非完全的）由于暗示或自我暗示作用。事实上，并没有一种可靠的壮阳剂的东西，使用壮阳剂后，性力得到恢复，倘非由于暗示，便多半由于偶合。

性力失调在性质上是那么庞杂，任何一宗病，虽然专家可以了解其原因，若要使一个普通人独自发现他的性交技术的错误，改正他的行为，以便恢复正常的性力，那就极端困难。因此，患（或相信自己患）性无力的人们，要紧是不要浪费时间和金钱，遍访江湖医生，应当立即去请教一个高明的医生。在目前，实际上没有理由害怕医生会随便动用泌尿科的全副医疗器械——徒然用探针、电器等等折磨病人。现代医生对身体失调的精神原因知道得那么多，他们大致不会太用力于局部的治疗，因而或许使病人更病得重。在研究局部情形之外，每一个受过正当训练长于医治此种病患的医生，会在考查局部状况之外，去寻求一般身体的和精神的造成性无力的原因——糖尿症、花柳病或神经系的别种失调、环境中某种不适宜的因素、食物上的某种错误、性交技术上的某种错误，等等。在他查过这些一般的原因之前，在他试过食物、药剂、精神治疗等一般医治之前，在这些办法证明无效之前，他不会贸然用器械考查尿道，并施行局部治疗。对于那样的病，摄护腺和睾丸的传热治疗或许有效，不过这问题在这里不能详细讨论了。

关于性功能失调、基力缺乏及其结果的防止和治疗之一般原则，可以提出下面简单的生活规则。应遵守“早睡早起”的格言；一种适当的增加气力的混合食物对性力的保持是有益的。在另一方面，晚睡和睡时无定，不规则的习惯、过度的奔忙、用酒精刺激性欲的尝试、没有疑问是有害的。普通认作壮阳剂的食物和饮料，如红酒、芹菜、加味的食物，等等，都是不可靠的。比起一种适当的自然的生活态度来，那些东西的功效都是极端不足道的。关于这问题，我们可以再提一句，吸烟过度同喝酒过度对性力同样有害。

有一种不适当的性交技术乃是性力失调的重要原因，依照这种技术，男方在性交时尽可能以至无限期地把顶点和射精延迟下去。这种行为的专门术语是性交保留（Coitus reservatus）。由于避孕或由于延长性交的乐趣，男方把顶点保留下来，直到勃起机体疲乏勃起状态消失为止，不使射精。这种行为有时唤作“奥乃达”（Oneida），因为美国奥乃达公社的“圣经共产主义者”（Bible Communists）的性交技术便是这样的。[1]性交保留的极端形式有时唤作“抚爱法”（Carezza）。不拘哪一种形式，性交保留都应当受排斥，因为这种办法，与性交中断相似，造成后尿道充血，精囊肿胀，性力受损。一般医生对性交保留总要加以严厉的告诫。

樊德维尔却是一个例外。在他那一本销路很广的书《理想的结婚》（*Ideal marriage*）中，他虽然反对完全免去顶点的性交保留，却因考虑到女方的利益，劝人有时把性行为延长，否则女方似乎不能得到适当的满足。他更以不必要的琐细把“爱的游戏”（Love play）描写作性交前应有的步骤，借以加强女人的基力。本书的著者十分不同意他的见解。他所提议的“爱的游戏”和性行

[1] 奥乃达是美国纽约州的一个地方，一八一八年，诺伊斯（J. H. Noyes）在这里创立上述的教派。——译者注

为过分的延长，可能增加女方的乐趣，但不可避免地要在男人中间造成许多性神经衰弱者。樊德维尔主张，在圆满的性交以后，假如男方有意思和精力，不妨重新进行爱的游戏，交合，再度达到顶点。他这主张是我们格外不赞成的。这办法使女人受害不下于男人；男女双方，特别是结婚的夫妇，在很短的时间内不应当重复性行为。许多人听别人夸称能一连性交几次（可能在六次以上），便觉得自己的性力不合格。像这一类的“本事”大多数是完全无稽的，假如他们不使得他们的听众怀疑自己的性力，这种满足虚荣心的夸耀便没有什么害处。现代生活本已十分消耗神经和体力，这些到处皆有的假先知，更提倡关于结婚生活的错误学说，结果必然造成大量神经衰弱患者，并大量增加纯心理的性无力者。有一些书没有疑问表明作者的性力过人，但他们的主张对于囫囵吞枣的读者却是有害的。我们认为这些不合理的指导的后果，已经在心理的性无力的增加上见出来。现代人已经具有神经衰弱的倾向，受了过度的刺激和剧烈经济斗争有害的影响，对他们的劝告最好是享受正常的性交，免去什么爱的游戏，也免去故意延长的尝试，尽可能快地达到顶点和射精。照这样可以免得整批地制造心理的性无力。

许多心理的性无力不由于惧怕花柳病传染，也不由于憎恶与娼妓交合，只由于该病人一度不能交合成功，自此以后，遂被永远性无力的自我暗示弄得不中用了。任何时他从事新的尝试，他不直趋目的，却只想到他要失败的必然性。还有手淫多年的人，恐怕这种行为已经伤害他的精力，这种恐惧便可以引起心理的性无力。一贯以自淫（Ipsation）代替正常的性交的人，会因此得到一种畏女病（Femino-phobia），这样的病人一旦遇到一个体力适合的同情的对手，他对她感到一种足以克服他的恐惧的吸引力，于是与她性交，他的病往往不药而愈。假如遇不到这样的对手，这样的病人几乎一定可以因精神治疗获愈，不过治疗的过程或须很长。精神分析有时比别种方法更有效，不过据本书作者的见解，在这类事上，分析者的人格是非常重要的。

最后我们不得不讨论一下老年性无力的治疗。实际上，这完全不是一种需要“治疗”的“疾病”，因为一个已经在工作和荣誉上变老的人，应当承认下面的事实：他的性力必然与年俱衰，这种衰退有的人来得早有的人来得迟。假如一个人想用人工的方法，来阻止或逆转变老的过程，我们认为这是不合理的，因为变老是人类身体自然的耗竭。这一类的企图应当与帕拉塞尔萨[1]制造矮人的愿望等观。不过，假如由于遗传或疾病，患过早的“老年性无力”的人，不妨试一试斯坦纳哈（Steinach）或伏洛诺夫（Voronoff）的方法。斯坦纳哈发现，把年老的豚鼠和普通老鼠的输精管结扎起来，可以使这种动物已失的性力恢复。这种“返老还童”由于睾丸的多孔组织（斯坦纳哈名之为“青春腺”）增殖，因而把睾丸的荷尔蒙注入血中。青春腺的增加刺激其他内分泌腺，转变次要的性特征，因而使受手术的人返老还童。把同一手术施于人类，似乎可以产生暂时的返老还童作用，不过这效果是暂时的。没有疑问，有一部分是由于心理作用。伏洛诺夫把类人猿（黑猩猩）的睾丸接种在人身上，据他说，由接种得来的内分泌，可以补偿睾丸荷尔蒙先前的缺乏，因而使他的病人返老还童。伏洛诺夫的实验由许多别的医生仿作，但不能得到睾丸

[1] Paracelsus——十六世纪德国医学家、博物学家、神秘哲学家。——译者注

接种的创始者所说的效果。他们发现，接种的睾丸在人身上很快就萎缩了，睾丸组织被普通的脂肪组织所代替。在许多人身上见出的暂时效果，可以用手术的暗示作用来解释（病人的头脑已被轰动一时的报纸论文预备好了）！不过，接种的青春腺只要还有作用不可否认，它可以发生一种不确定的作用。[1]

对于生理的年老的性无力，假如没有可靠的治疗，却有一种非常好的预防法，便是，按时实行正常的性交，避免某一些狂热者所提倡的“玄谈高论”。那些“玄谈高论”也许的确能加强一时的性快乐，甚至增加性行为，但这些利益是以正常的性力较早绝灭为代价的。我们虽然把樊德维尔所提倡的“爱的艺术”（art of love）的许多成分看作有害的，我们却同意他下面的主张：纵然是很上了年纪的人，经常实行性交，可以延迟生殖器官的机能衰退的侵袭。

[1] 关于结扎输精管、睾丸接种等手术，可参考施密德（Peter Schmidt）著的《老年之征服》（*The Con quest of old Age*）该书一九三一年在伦敦出版，根据无数临症报告，对“返老还童”抱比较乐观的见解。——英译者注

生育的无力

我们已经解释过，能有圆满性行为的人——不患性交无力的人——会不能生育。生育的无力，有部分的，有完全的。我们现时只讨论男性，不去谈那些使女人相对不育或绝对不育的条件。直到近时，还在用一种粗糙的简便的测验方法。当结婚夫妇证明不育时，便把丈夫的精液（性交后立即从套子里或从他的妻的阴道中取出）用显微镜检查。假如活动的精虫存在，于是毫不费力地断定，该夫妇不育的原因一定出在女人身上。不过，近来，一个住在纽约的德国教授门喜（Mönch）的研究，使我们可以用更精确的方法判断男性的生育力。男人绝对不育似乎是比较少的，但精液中活动精虫的存在，断乎不能证明那个男人能生育。男人完全不育主要原因是淋病性的副睾丸炎阻塞了两边的输精管；但各种慢性中毒和营养失调也可以造成不育；像这样的男人也是屡见不鲜的，他们在别的方面似乎是完全正常的。

门喜对精虫头部的形状和体积作过广泛的研究，知道照这样可以查出，精液中含有活动的精虫的人，依然缺乏生育力。我们不要在这里讨论这个方法的技术方面，我们只能说，这方法大致能提供具有实验价值的结果。门喜发现，性交中断实行得久了，会于男性生育力极端有害。当男性生育力减退时，使生育器官完全休息，同时设法改进一般的体力，结果也常能使生育力增进。

第十七章　女方的不生育

当一对结婚夫妇长久不育时，专门的检查往往不能发现任何一方有不育的原因。有时无子的夫妻分开来，与其他同样无子的对手结合，这两对新夫妻居然都生了孩子，这情形格外使人莫名其妙。人们过去强加解释，说什么不育的夫妻由于卵与精虫不相配合，或由于精液与阴道分泌间的反应不满意，或由于不育的心理的原因（缺欠适当的相互的要求）。这样的解释完全出于空想，得不到科学的证明。门喜的研究对于这种可能的原因投了一线光明，不育或由于精液的生育力暂时减低。前面已经说过，长时期的禁欲，增进一般的体力，从事身体运动，注意食物营养，可以使一个男人恢复充分的生育力。对于那些莫名其妙的情形，这解说至少可以说明一部分；不过必得承认，这问题还不曾得到完全的解决。

假如一个结了婚的女人长久不生小孩，假如她的不育不由于避孕，医学的检查很容易查出她的不育的原因。有许多女人，生殖器官是十分正常的、健康的，但不能生育，她们的体型没有疑问是“男性”的。典型女性特征的不存在，表明这些人的卵巢分泌或黏液分泌有不正常的地方，虽然我们现时的检查方法还未精密到查出各个腺的任何改变，这种不正常是可以断言的。在目前，对于这样发生的不育症，我们也还没有补救的办法。女人不育比较常见的原因是“小儿型发育”（Infantilism），在这种情况下，女人的生殖器官不能成为成人的，因而缺欠受孕和怀胎的身体机构和生理功能。有许多这类的情形，长期服用卵巢和黏液抽出物，可以使生殖器官得到正常的发展，也可以使原本不育的女人受孕。一种卵巢接种（人类的），假如能得到，而且接种得好，似乎格外有效。

检查不育的女人，时常发现这人患慢性卵巢发炎、输卵管发炎，或子宫发炎，原因往往是淋病传染。对于这类病人，医疗有时能生效。淋病以外的别种传染也能使子宫、输卵管或卵巢不适于生产功用。我们常见，一个女人生产过一个小孩，便不能生育，这是由于生小孩时一种传染的过程由阴道向上展开。输卵管是否通畅，有方法可以检查，不过这方法不免有危险处，一定要由妇科专家施行。

女人不育的其他原因，可以举出瘤子、变位置和子宫弯曲。

关于形形色色的女人不育症，我们只能作简短的叙述。每一种病要就其实在的情形来考虑，只有专家才能断定障碍是什么。在结束本章时，我们觉得应当提一提，女人的性冷淡与不育很少有关，或绝对无关，因为事实上一个被强奸的女人，或不乐意发生性关系的女人，都可以怀孕。此外，性冷淡时常是相对的，因为绝对憎恶性交的事是很少见的。一个女人同一个男人性交时是冷淡的，同另一个男人性交时可以显出旺盛的性力。显著地恒久地一致地不能感受性的乐趣的女人是例外的；假如有这种情形，大致与前面所说的生殖器官的小儿型发育有关——前边也已说过，这种病时常可以由高明的医生治好。

第十八章　性生活的变态

概论

凡与男女正常关系不同的性冲动表现，习惯唤作颠倒或错乱。现时应当把其中最重要的几种加以简短的叙述。不过，我们不得不首先声明，现时许多著名的权威不肯把那些异常的性冲动表现看作病态的。有一派学者主张，像阴阳电互相吸引一般，男女互相吸引，不能算作唯一常态的，一切性冲动的别种表现也不能贬作病态的。希尔式菲尔是这一派的领袖。这些学者主张，男女“典型的”标本不过是许多等级之极端的例子。据说，有百分之百的阳性的男人，有百分之百的阴性的女人，这两种人只能从与相反的性别结合中寻求性的满足，在这两种人中间有无数“中间的等级”。据希尔式菲尔说，性关系是极端多样的，在等级不同的一串的一端是“典型的”男人，另一端是“典型的”女人。在这两者中间有种种不同的表现（下面要加以叙述），如他虐狂（Sadism）、自虐狂（masochism）、易装狂（Transvestitism）、露阴狂（Exhibitionism）、同性恋、阴阳人，等等。希尔式菲尔把这些表现看作十足的阳性的男人和十足的阴性的女人中间性型。希尔式菲尔说，正如没有两个面貌和性格完全相同的人，花样多端的大自然显现作许多中间等级的性倾向和性行为。希尔式菲尔根据这观点主张，大自然植入人类性生活中的各种冲动倾向应享受平等的权利。他抗议传统的道德家和国家对普通认作性冲动“不正常”的人所取的态度。

我们不要在这里对希尔式菲尔及其学派的主张表示赞成或反对。有人依旧主张，希尔式菲尔所谓“中间性”不过是性欲的一种病态（时常是可以治愈的）。我们也不要在这里从这些人的观点批评希尔式菲尔及其学派的主张。我们只能采用弗雷尔（Auguste Forel）的大著，《性问题》（*The sexual problem*）中关于这些现象的分类——希尔式菲尔唤作“中间性等级”的现象要不要算作病态的和不正常的呢，本书对此没有任何成见。不过，在结束这些发端的话时，我们应当提出，凡主要导向异性的性冲动，我们唤作“异性恋的”（Heterosexual）；凡主要导向同性的性冲动，我们唤作“同性恋的”（Homosexual）。

异性恋的性冲动的变态

他虐狂（Sadism）与自虐狂（Masochism）——这两种状况是互相关联的，施伦克一诺京（Schrenk-Notzing）列作一类，名之为痛苦狂（algolagnia），这个名词的含义是，性欲与施痛苦或受痛苦的要求相伴随——他虐狂者愿施痛苦，自虐狂者愿受痛苦。（痛苦可以是身体的，也可以是精神的，也可以是两者兼有的。）他虐狂者的性欲和性的享受因对手的受苦而加强；自虐狂者的性欲和性的享受因自己的受苦而加强。这两个名词都得自首先叙述这种错乱行为的人，他们自己都患有这种毛病。萨德侯爵（Marquis de Sade，1740－1814）叙述一种侮辱、虐待、甚至杀死性爱对象的色情的要求。

萨却尔一马索哈（Socher-Masoch，1835—1995）感受并描写一种伴有被所爱的对象侮辱和伤害的性冲动。一言以蔽之，他虐狂是主动的痛苦狂，自虐狂是被动的痛苦狂。弗雷尔很正当地指出，与正常的性冲动相连的温和的痛苦狂也不是罕见的。布鲁诺以相似的态度叙述他虐狂与自虐狂："在每一种爱情行为中有这两种现象的痕迹，不过它可能隐藏在不被人注意的角落。正常的爱情关系有时伴有温和的打和咬——在某一些下级动物中，这种行为可能是不大温和的。牡猫有时咬它的性对手的脖子；公刺鼠同样对待母鼠；公鸡猛烈地啄母鸡的脑背。在人类正常的性行为中也有这种痛苦狂的伴奏，我们所说的自虐狂不过是正常的被动的痛苦狂一种夸大的表现，自虐狂者觉得不由已地倾向极端的自贬，倾向象征地（甚至是真实地）放弃自我保存的冲动。他虐狂者则愿意伤、咬、抓他的性对手，吸他的性对手的血；发展到极端时，这种行为会达到吃人的程度，吃掉身体若干部分。纵然是吃人，也是一种为爱情冲动的病态的加强，这种冲动普通在下面的话中表现出来：'我那么爱你，我真想吃掉你呢！'"

我们现在从布鲁诺对自虐狂和他虐狂所作抽象的叙述，进而讨论这两种具体的现象。把他虐狂和自虐狂合作痛苦狂的理由是这样的：两种可以同时现在一个人身上，也可以由一种现象转入另一种现象。不过，明显的单独的他虐狂或自虐狂比这两种病态的混合形式来得更普通。一个他虐狂者，从加所“爱”的对象以精神的和身体的痛苦，以侮辱和咒骂，以鞭打，以刀切或刀刺，以特制器械的摧残，甚至以实际的杀害，取得性的满足。这种他虐狂的现象具有各种不同的程度，从前面说过温和的爱的口咬，到最可憎的暴行。一个自虐狂者，反过来，以忍受他虐狂者施于其对手的种种苦恼，取得性的乐趣。我们谈这两种病态时，所以不指出性别，因为，虽然这两种病态男女两性都可以有，不过他虐狂的倾向似乎多由女人表现出来，自虐狂的倾向多由男人表现出来，至于同性恋者，不论男女，都可以有自虐狂或他虐狂的现象。在正常的性交中，女人有一种处被动地位的倾向，我们不应当把这种倾向与自虐狂混为一谈；虽然，在社会某一阶层，特别在文化较低的国家，作老婆的常被她们的老公殴打，或期望受这样的虐待，我们也不应当把这种表现与自虐狂混为一谈。没有疑问，作为一种彰明昭著的性冲动的病态——作为一种性享乐的特殊典型——自虐狂的女人比自虐狂的男人少。自虐狂中有以鞭打狂著称的特别种类，我们所指的不是鞭打性对手的他虐狂的要求，乃是可以唤作“自动的自虐狂”（Automasochism）的东西。鞭打狂者常把一种自虐狂的倾向与病态的宗教观念联系起来，以为自惩会取悦于上帝，会帮助自惩者进入天国。鞭打狂冲动的性的成分帮助我们了解许多殉道者、苦行者、其他宗教狂者的病态行动。

有许多男性自虐狂者，教他们所爱的女人（有时赤足，有时着鞋）践踏他们，借以取得性的快乐。又有一些男人酷嗜女人的分泌物和排泄物——甚至是尿和屎，克拉夫特—伊冰（Krafft-Ebing）把这种现象列作“幼虫的自虐狂”（Larval masochism）。

尸虐狂——有人借与死尸作比拟的性交或切割死尸取得乐趣。弗雷尔把这种冲动也列入痛苦狂中。这种现象主要地见于白痴和疯人中间。仿照幼虫自虐狂的说法，我们似乎可以把这个唤作幼虫的或拜物的他虐狂，看作虐待生人以取得性快乐的补助手段。

拜物狂——正常人的爱情冲动倾向全部的机体和完整的人格，拜物狂者的爱情冲动却偏向所爱者的一部分，或与所爱者有关的一种没有生命的物体。这种拜物狂最普通的形式之一是，迷恋女性的一件衣服。这不过是常态行为一种扩大，一种歪曲。一个女人的身体的特殊部分，她的衣服，她的体香，以至女性生殖器官的意象（当女人实际不在眼前时），都足以引起男性的性欲，这本是男性正常的基力的特征。但在拜物狂者看来，部分已经变得大于全体。一只鞋子、一条小手巾、一只手套、一束头发、一只女人的手或脚或胸，不再是所爱女人的一个附属部分或象征，似乎那东西本身便是目的。一见到那种东西，一接触那东西，一想到那东西，便足以引起性的激动，以至勃起，射精。我们不能在这里陈述拜物狂的各种形式。仅能提一提“剪辫党”，便是从少女头上剪掉发辫的人，他们喜欢保存这些发辫，仅仅看一看这些发辫，或摸一摸这些发辫，便得到性的满足。还有一些很奇特的拜物狂者，只有斜眼的，或短脚的，或别种畸形的女人，才能引起他们的性冲动。拜物狂在男人中间比在女人中间普通得多，在同性恋和异性恋的男人中间都可以发现。

暴露狂——典型的男性暴露狂者有一种在女人前面手淫的冲动。一个暴露狂者会藏在路旁的树丛中，当一个女子走过时，便跳出来，对她露出勃起的阴茎，当着她的面手淫。这种人要在女人看见时才能得到满足。他们永远不对女人作任何直接的性的侵犯，他们保持距离，射精以后即刻逃走。暴露狂者时常有一辆供逃走的脚踏车。在女人方面，显著的暴露狂只见于那些患严重精神错乱的人；在男人方面，暴露狂总是一种精神病的表现，虽然不一定是显著的疯狂。一个暴露狂者似乎迟早要落入警察的掌握，不过惩罚或惩罚的恐吓都不足以阻止他放任他那病态的冲动。对于这种病症，精神治疗值得一试，不过时常没有效果。

同性恋

同性恋是一个总名词，指名恋爱同性的倾向。在大多数情形下，这种行为常伴同对异性行为的冷淡，甚至恐惧。大多数异性恋者把同性恋者看作病态的、堕落的；但同性恋者却把他们自己看作一种生理的种别，甚至自称为“第三种性”。过去有人说，同性恋代表一个中间的性阶段，男性与女性中间的过渡层，这见解近时得到著名性学家希尔式菲尔的拥护。他的著作在舆论方面已经有很大的影响，所以许多同性恋者现时有意承认同性恋冲动和行为的“正常性”——虽然直到一九〇九年，连思想通达的弗雷尔都强烈地反对这一种见解。作为这种观念改变的结果，在修改德国刑法时，处罚男性同性恋行为的著名的一七五条，似乎亦受到相当修正了。关于本问题的法律方面，不拘我们是否同意希尔式菲尔的见解，以为同性恋是一种生理的种别，或同意毛尔（Moll）的见解，以为同性恋者是一些病人，往往可以用精神治疗的方法医好，我们真的不相信那条法律有什么重要。因为，第一，第一七五条对于生来倾向同性恋行为的人，发生很少以至完全没有限制效果；第二，一面因了同性恋的行为把男人送进监狱，一面由着同性恋的女人为所欲为，乃是不合理的。不过修正这条法律的最正当的理由是，男性同性交合的惩罚已经成为吓诈者的生财之道。在暴露的恐吓下，在刑事控诉的惧怕下，无数具有高级智力和特出的道德价值的人，经济和精神都受了毁坏，以至被迫走上自杀的路。德国大学教授间有过一次测验答问，答案表明，他们大多数人认为，第一七五条的功德远不抵它所造成的罪过。本书作者同样相信，关于这问题的法律的修正是要紧的。不过，我们认为，一个成人同二十岁以下的少年从事同性恋行为，依旧是一种应受惩罚的罪过。没有疑问，许多主张废除一七五条的同性恋者，一定不喜欢这一项保留。因为，如毛尔指出，大多数成年同性恋者的性冲动，特别地倾向十四岁和二十岁之间的少年。同性恋者自己动辄夸耀他们对少年人的爱情，提醒我们儿童爱（Paedophilia）在古希腊的恋爱生活中所起的重要作用。此外，希尔式菲尔主张，大多数同性恋者的性冲动是先天的，纵然事实上许多同性恋者显示一种显著的女性型，性分泌和生殖器官也有不同寻常的地方，我们依旧不相信他这主张。没有疑问，同性恋者生前或死后外部生殖器官的检查，可以表明，有不少同性恋者是不同程度的阴阳人。因此，这一种变态应当在另一个题目下讨论。

雌雄同体

雌雄同体指男性和女性生殖器官同时出现，这本是许多植物和许多低级动物的当然现象。不过，在人类方面，具有十分发达的男性和女性生殖器官的人是极端稀有的。假的雌雄同体比真的雌雄同体常见得多。假的阴阳人生有正常的睾丸或卵巢，但其他的内外生殖器官多少近似相反的性别应有的样子。例如，一个阴囊中生有睾丸或不下垂的睾丸的男人，他的阴茎却发育不全，像一个阴核。或因阴囊合缝构造不完全，在中间线裂开，小阴茎和睾丸化装为阴核和大阴唇。这便是男性的假阴阳人。有不少这一类的男性假阴阳人，虽然睾丸存在，而次要性特征却显然是女性的。这样一个人可以有女人的宽屁股、特别发达的乳房、女人的声音，以及女人特有的感情倾向。这种人便是所谓男性女（gynanders）。他们的反面是女性的假阴阳人，或女性男（An drogynes），这些人生有卵巢，卵巢的作用多多少少是正常的，但阴核大得像一个阴茎。在别的方面，这种人的外部生殖器官偏向男性型，而他们的全部身体习惯和次要性特征也可以显然是男性的。在十分发育的假雌雄同体形式中间，有无数中间型。例如，一个人的器官确乎是男性的或女性的，同时可以有一两种相反性别应有的次要性特征。我们见过生有女人乳房的男人，生有男人喉头和声音的女人。生有男人一般的胡子的女人，或在别的部分生有类似男人的毛的女人，都是很常见的。不拘有无此种明显的身体的变态，性格都可以是“中间型的”。我们常见生有男人或女人的内外生殖器官和次要性特征的人，在趣味、思想态度、爱情倾向方面却显然是“颠倒的”（Inverted）。我们可以假定，在这种“中性人”身上，或在多数这种人身上，不知怎样（实际情形尚无人十分了解），他们的生殖机体发生了一些解剖学上的变化，因此生殖腺注入血中的内分泌和荷尔蒙引起生物化学上的变化，结果这种人天然的倾向同性爱。事实如此，期望用精神治疗恢复“正常的”（便是说，异性恋的）感情态度，便是不合理的了。

在这些问题上，本书作者采取一种中庸之道。弗洛伊德学派的人主张，大多数同性恋的事实，是幼年一种性的创伤的结果，可以用精神分析学医好，本书作者觉得不能同意这样一种见解。希尔式菲尔主张，假如男或女不具有同性恋的先天气质，便不至被人诱入同性恋的行为，他这见解本书作者同样难于承认。据希尔式菲尔

第十二幅　雌雄同体

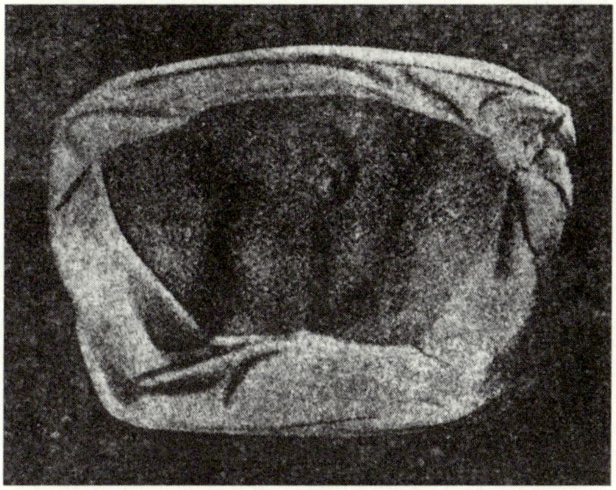

图三十一　男性假阴阳人

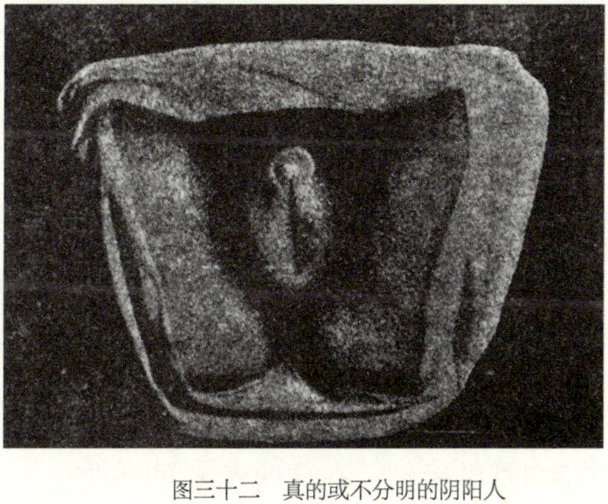

图三十二　真的或不分明的阴阳人

的意见，具有异性恋气质的男人，没有被同性恋者诱上歧路的危险；大多数拥护同性恋者的完全自由的人宣称，“许可的年龄”（age of consent）是不公道的，不合理的。我们不能同意这两派极端主义者。在春情发动期和很早的成年期，在性冲动方面，有一种两极性存在，这是大家公认的。很多少女和不少男性青年都要渡过一个或多或少的“兼具两性”（bis exuality）的时期，他时不发生作用的同性恋的诱惑，在这个时期，便起了作用。没有疑问，在这摇摆于两性之间的时期，有不少人倾向常态的异性恋行为，但也可以被诱入同性恋的行为；不过，到后来，异性恋的倾向可能冲出来，把同性恋的倾向排除。在另一方面，具有同性恋的先天气质的人，在那危险的青春期，可能不显出那种倾向。一个同性恋的男人可以结婚，表面上与他的太太过得很满意，也可以生一些小孩。后来，在他的成熟期，他可能发觉，他是一个同性恋者，他一方面有同性恋的欲望，另一方面对他的太太和小孩的母亲依然有不自然的爱情，在这两者之间的冲突上，他可能感受强烈的痛苦。假如这样一个人有了一种同性恋的关系，然后成为吓诈者的对象，于是他的社会的和经济的地位受了危害，在现存的法律状况下，他的生活成了地狱。

在一方面，成年同性恋者在满足他们认为自然的冲动上，不应当受威胁，我们承认这要求是合理的；但在另一方面，我们不能不坚持，有许多同性恋的倾向，是一种精神病气质的结果；因了这或其他的理由，使同性恋者兼具两性时期的青年人中间，无拘无束地从事同性恋的宣传，是非常不适当的。拥护同性恋者的权利的人，主张同性恋的行为应当与异性恋的行为得到同等的容许，他们的理由是，同性恋的行为不会是精神病气质的结果，因为历史上有一些最显赫的人物是同性恋者。这理由有一个漏洞。但要举两个著名的例子，达文西（Leonardodo da Vinci）和米奇朗吉罗（Michelangelo）都是同性恋者，这可能是真的。不过，这些大艺术家很可能有兼具两性的倾向，在他们的行动上时常是异性恋的，但有时纵情于幼童恋——应当记住，文艺复兴期的人们有意把古典时期的感情和行为、思想和趣味，作成一种宗教，而幼童恋确乎是当时社会结构的一部分。虽然如此，偶尔有一个天才具有同性恋行为的倾向这事实，并不能使普通同性恋者不为精神病的劣等者。天才和疯人在许多方面是交互关联的，天才是具有某数种官能的高度发展的特征的人，他们同时有一些比较不显著的方面，这些方面表现在具有同一气质的普通人身上，大致要使他终生监禁在疯人院中。马尔堡（Marburg）的精神病学家克里契默（Kretschmer），曾把歌德（Goethe）的生活和创作力之抑郁狂的方面，作了杰出的叙述。在卢德维喜（Emii Ludevig）的《歌德传》中，我们也可以在那位诗人的爱情生活和智能方面发现一种周期性，足以证实克里契默的见解，便是说，天才（不止歌德一个），就其一切表现来说，是精神病气质一种特殊的方面，或特殊的表现。虽然有一些具有抑郁狂气质的人，他们那特殊的气质发煌为天才，抑郁狂依旧是一种狂。歌德的感动力全靠了这种天才的火焰，倘若没有这种火焰，他的成就不会多于一个萨克思·威玛（Saxe Weimar）的平庸的枢密顾问官，以及一些莫名其妙的粗鄙的作品。虽然有许多有才能的同性恋者，也有一些是天才，但在具有同性恋倾向的人中间，依旧以精神病者

第十三幅　雌雄同体（续）

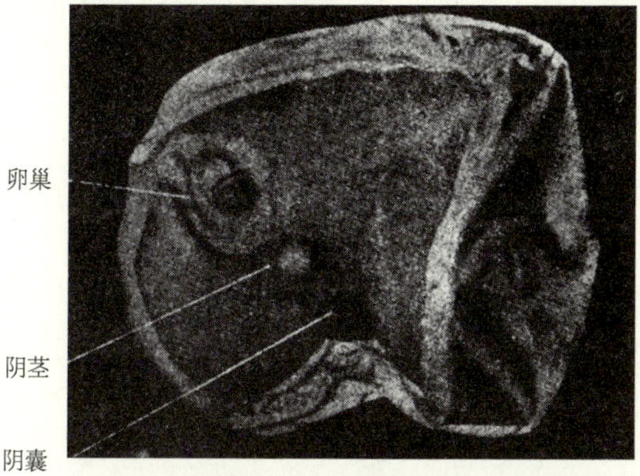

图三十三　真的阴阳人

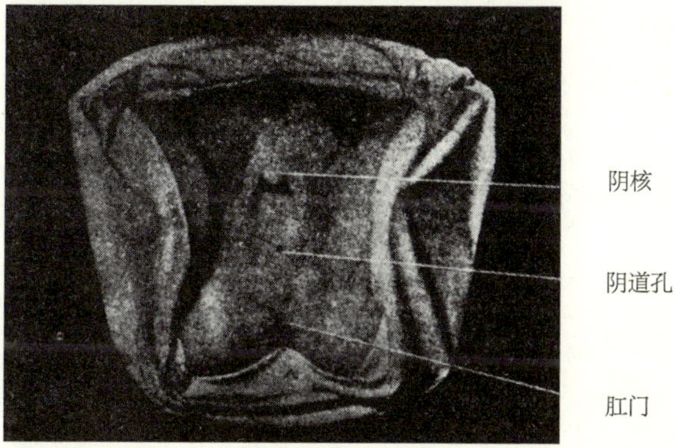

图三十四　假的阴阳人

（原图藏性学研究所）

和忧郁病者占优势。因此，没有容许他们一切要求的理由。要国家许可同性恋“结婚”存在，是不合理的，国家在这方面的让步只能增加我们社会生活的纷扰。

第十九章　花柳病的源流

花柳病主要地（但并非绝对地）是性交时由一个人传给另一个人的几种病。不久以前，人们把这几种病混作一种“花柳病”。直到最近几年，才有人把它们分出类来，也得到一种关于它们的特殊原因的知识。在目前，我们公认有四种主要的花柳病：淋病（gonorrhoea）、梅毒（Syphilis）、软性的或不传染的下疳（chancre——说它不传染，因为它与“硬性”下疳不同，不至成为一种全身病，硬性下疳乃是梅毒的初步现象）、横痃（Iymphogranalomatosis inguinalis）。我们不预备在本书中详细说明这几种病。但请读者去参考医学著作。我们在本章不过要把这几种病的源流简短地叙述一下；在下一章中讨论这几种病的个人预防法。

我们不仅在《圣经》中，也在有文学的各民族的古代文学中——在印度、希腊、罗马作家的著作中——发现无数指示（大多数是讽刺的），表明古代人知道有花柳病。《旧约》中有一些片段，表明该书的作者见过淋病。在潘沛伊（Pompeii）发掘出来的古物，表明古罗马知道使用探针。中世纪的著作表明对淋病及其许多并发症有很广博的认识。我们也在更古的著作中发现关于生殖器生疮的偶然指示。在十九世纪末和二十世纪初，专家们依然一致相信，梅毒是一种比较现代的灾殃，在古代或中世纪（至少就欧洲来说）并不曾存在。但在近来，流行的见解是，梅毒是一种古老得多的病，开始时或许很厉害，后来变得比较温和，直到十六世纪，这种病才厉害起来，而且成为一种流行病了——结果，好像一九一八年的流行感冒，这种病造成一种新病的印象。

我们不想去判断“博古”学派是否不错，梅毒是否作为哥伦布第一次航行的结果由西印度带回。所可以断言的是，梅毒的流行病开始于一四九三年，从西班牙发展开来，在一四九五年，在查理八世的雇佣兵夺取纳布勒斯以后，盛行于意大利。解散的兵士把这种病带到欧洲各国，不久也由葡萄牙人带到远东，带到印度、中国和日本。这种流行病的一般现象是极端严重的，在皮肤、骨头和内部器官中现出化脓和溃烂的样子，在严重阶段常是致命的。直到十六世纪中叶，这种猖獗才平静下来，成为现时我们习见的样子。由于梅毒这种极端严重的形式的流行，也由于生殖器官内早期溃烂现象的显著，淋病和软性下疳都退入不重要的地位，都被医生和普通人拿来与梅毒混为一谈。此后有两世纪之久，流行的便是这种“同一论”，把梅毒、下疳、淋病看作同一疾病的不同的形式。在十八世纪，著名英国外科医生韩特尔（Hunter）作了一种似乎证实同一论的实验。他用一种他相信是淋病的分泌的东西接种在自己身上，结果他却患了梅毒传染。参照我们现代的知识，我们应当推测，韩特尔在实验中所用的分泌物，虽然从尿道中取出，实际上不是淋病的，却是隐藏在尿道里的初期梅毒患处的排泄物。直到十九世纪的三十年代，法国研究家黎科尔（Philippe Ricord）才把一向盛行的“花柳病”同一论打倒。他相信，一世纪之久的医业界也都相信，淋病、软性下疳、硬性下疳（初起的梅毒病象），是由三种不同的毒质引起的。不过，在细菌学确立以前，这问题并未结束。在一八七九年，奈塞尔（Neisser）发现造成淋病的淋病菌（gonococcus）；在一八八九年，杜克里（Ducrey）发现生出软性下疳的有机体（Strepto bacillus ulceris mollis）；最后，在一九零五年，勺丁（Schaudinn）与霍甫曼（E. Hoffman）共同发现梅毒的真正原因（Spirochaeta pallida）。横痃于一九二三年被认作第四种花柳病，它的病原菌直到现在尚未发现。

第二十章　个人预防法

一个男人若同一个患某种花柳病的女人性交，并没有一种可以使他免受传染的绝对安全的化学品。关于梅毒传染，一种依照奈塞尔和赛勃特（Neisser and Siebert）的方案制成的含升汞的药膏，大概是最好的预防剂了。这种药膏当然要在性交以前涂在阴茎上。关于淋病传染的预防，把百分之二的硝酸银液注入尿道，似乎可以把侵入尿道的淋病球菌完全杀死，不过这是很痛的；溶入甘油的百分之二十的普洛塔高尔（protargol，一种银与蛋白质的化合物）比较合用。药房中有各种银盐（Silver salt 如溴化银、氯化银、碘化银等）出售，可以用来预防淋病，不过，前边已经说过，这些都不十分可靠。这些东西大致在性交后愈用得快愈有效。

作为淋病的预防剂，带套子比任何化学品有效得多。假如套子不破，几乎是绝对安全的——但在预防梅毒上，并不那么可靠。梅毒的螺旋菌可以透过皮肤上最小的裂缝和伤口，而且可以穿过完好的黏液膜——例如嘴唇的黏液膜。所以随便选择性对手的人，应当记住，梅毒的传染是非常容易的。性交前后，把奈塞尔和赛勃特的药膏，或同类消毒药膏，涂在阴茎上，依旧有用，药膏中的滑润成分不但有益，而且能杀菌（因为涂过滑润剂的阴茎不易磨破）。在可疑的性交以后，一定要立即撒尿，并用肥皂和水和千分之一的升汞液洗涤生殖器官，假如没有升汞液，用肥皂和热水彻底洗涤，也可以避免传染，即使带了套子，在除去以前，也要用消毒药水彻底洗过，否则除套子时依旧可以发生传染。一个有过可疑的性交的人，如果当时未带套子，最好尽可能快地去见医生。倘若过了十二小时，大致就太晚了，无法补救了。

此外，一个男人永远不应当忘记，社会各阶层有许多不管不顾的女人，故意隐藏她们患花柳病的事实，问到时也要加以否认。况且，有许多散布花柳病的女人根本不知道自己有病。有时一个女人误以为她的病已经痊愈，但患花柳病的人，可能不知道病的存在。我们应当记住，一个受过梅毒传染的男人，在潜伏时期（持续好几个星期），是觉不出的。一个女人不知不觉地患花柳病，格外来得容易，例如，当她的子宫颈处因初期梅毒作痛，她是不会想到梅毒的。有无数患淋病多年的女人，任何显著的病象都不曾引起她们的注意。一个结了婚的女人，在结婚后立即被她的丈夫（一个显著的慢性淋病患者）传染，像这样的情形是一点也不稀罕的。这便是新郎给他的新娘的结婚礼物！在她同别的男人性交，因而把病传染给他以前，她可能实实在在地不知道这种病的存在。那时，她的病可能“明朗化”起来。阴道黏液膜对于一种“缓和的”淋病球菌或许已经变得可以抵抗。在她的情人身上，这种病菌可能成为有毒的，然后他把这种有毒的病菌再传染给她。随后她可能把这种有毒的淋病传染给她的丈夫。这便是法国人所说的“三角淋病”（gonorrhea entrois）。

因为时时变换性对手的男人非常容易感染花柳病，本书作者要用力警告那种男人，一旦发现任何局部的病象，不拘是尿道的排泄物，或阴茎上的小丘疹，应当赶快去见医生。永远不应当忘记，花柳病医得愈早，痊愈的希望愈大。宝贵的时间时常浪费掉，因为患者以为尿道孔黏湿或阴茎上生丘疹是不关重要的，以为这种毛病会自然而然地消失。遇到那一类的情形，假如病人用自己选择的或外行朋友介绍的方法来治疗，那就很糟。唯一的结果是延误正确的诊断和有效的对治。举例说，初期梅毒，只要在痛处发现螺旋菌，便可以断定，但若在见医生以前，病人用过碘酒、消毒药膏、醋酸盐，或硝酸银，这种早期诊断便成为不可能的了——因为这些药品已经把传染病菌由溃疡表面赶到深处去了。

关于同有花柳病嫌疑的男人性交的女人，个人预防的可能性比男人少。在女人方面，她的男性对手带套子也是最好的预防法。有时，在性交后，立即用消毒药水灌洗阴道，可能避免淋病的传染。不过，大多数时候，一个患淋病的男人，不仅传染女人的阴道，也传染她的尿道，因此灌洗阴道显然没有用处。在男女两方面，假如性对手是具有杂交倾向的人，应当把每一次性交看作危险的。实际上，严格的一夫一妻制是预防花柳病的最好的办法。

第二十一章　遗传

在人类中，正如在所有从事性的繁殖的动植物中，生殖细胞是遗传品质的媒介。某种品质由父母传递给子女，便是靠了这些细胞。读者已经知道，在任何种族的细胞核心中，染色体的数目是不变的，在卵的核心和精虫的核心结合以形成受胎的卵以前，一种“减缩分裂”使染色体的数目不至每一代增加一倍。因此，依据我们现有的知识，染色体必然是真正的遗传媒介。用来指名具有遗传品质的染色体的元素的名词是很多的，如遗传元素（heredity factors）、细胞原质（idioplasm）、遗传因子（genes）、微胞（determinants）等等。对于每一种可遗传的品质，受胎的卵必然含有两个微胞，双亲各供给一个。不过，依照来自双亲的微胞的性质和作用，一种遗传品质可能是显明的，可能是潜伏的。假如这种品质是显明的，便名之为“优势的”（dominant），假如它是潜伏的，便名之为“退守的”（Recessive）。我们所有关于遗传的秘密法则的最早的知识，要归功于门德尔（Gregor Mendel，1822—84）。门德尔是奥古斯丁教派的教士，后来作了布隆（Brunn）的主教。[1]门德尔的研究创始于一八六四年，但在当时没有人注意，默默无闻到那一世纪的结尾，后来因了同一部门的其他研究者所得到的结果，才有人注意他的工作。从事独立研究的赤马克（Tschermal）、科伦斯（Correns）、德甫来（de Vries）偶然得到一世代前门德尔所发现的植物界的遗传法则。以“门德尔法则”著称的简单方式如下：假如使具有一种不同品质的动植物交合，第一代子嗣几乎全具有双亲之一的品质，这便是那优势的品质，至于那退守的品质，似乎已经消失掉。不过，在下一代，我们便发现，四分之一的子嗣具有退守的品质，四分之三具有优势的品质。假如我们继续我们的实验，我们发现，在第三代所得到的杂种如下：其中四分之一表现纯优势品

[1] 参考一九三二年伦敦出版的伊尔提斯（Iltis）作的《门德尔传》。——英译者注

质，再下去各代继续不变；四分之一表现纯退守品质，再下去各代继续不变；但其余的四分之二却像第二代的杂种，以 1∶2∶1 的比例再度分开来。

有一个典型的例子，可使这个法则容易明了。秘鲁有一种奇特的植物，名为四点钟（Mirabilis Jalapa）。这种植物有两种显著的不同品质，一种开白花，另一种开红花，假如我们使开白花的四点钟与开红花的交合，第一代的杂种都开淡红花。我们再使第二代开淡红花的四点钟交合，第二代的四分之二开淡红花，四分之一开白花，四分之一开红花。假如我们使第二代开白花的与开红花的四点钟分别交合，开白花的子嗣完全开白花，继续无数代不变；开红花的子嗣完全开红花，继续无数代不变。但假如我们使第二代开淡红花的四点钟交合，所得到的子嗣与上一代的比例相同，便是，四分之二开淡红花，四分之一开白花，四分之一开红花。照这样，把所有第二代的四点钟研究一下，再把第三代的研究一下，我们可以把它们分作三组：其中四分之一完全表现优势的品质，此后各代继续不变；四分之一完全表现退守的品质，继续不变；但下余的四分之二却像第一代的杂种，再度依照 1∶2∶1 的比例分开。因此，一代一代地传下去，开淡红花的四点钟的数目逐渐减少，开红花和白花的数目逐渐增加。那些永远开白花或开红花的四点钟，已经完全失去杂种品质的微胞之一，开白花的四点钟已经失去开红花的微胞，开红花的已经失去开白花的微胞。这样的植物名为“形质稳定的”(homozygotic)，含有红白两种微胞的杂种（以四点钟作例，这是要开淡红花的），名为“形质不稳定的”(hete rozygotic)。不过我们已经知道，形质不稳定的杂种的子嗣，有一半再度变成形质稳定的。

由这些实验看来，在卵的核心和精虫的核心结合时，或在卵的核心和花粉的核心（如在植物界）结合时，由各自的双亲获得的微胞，遗传因子，或遗传元素，依旧是分明的。照前面的例子，红花微胞和白花微胞，不拘在受胎的胚珠的核心中，或在由其一再分裂所生的细胞中，并不融合起来。在四点钟的第一代，全体含有两种微胞，所以花是淡红的，既不是红的，也不是白的；但在下去各代，红花微胞和白花微胞，因为彼此的关联并不密切，在子嗣的半数中分开来。我们这里所举的是一个很简单的例子，所涉及的只是一种品质。一般的遗传过程是非常复杂的，因为各种品质的微胞在遗传素中作很不相同的混合，也因为其中有一些是优势的，另一些是退守的，以很分歧的方式影响后嗣的品质。我们若把这题目再叙述下去，不免越出本书的范围太远了。关于这些研究发展的情形，或现时关于遗传所作的远大的假定，我们都不能在这里细说。不过，我们要提一提德甫来所发现的令人惊奇的变态事实。这位研究家指出，遗传品质可以在生物中突然消失或新出现。

关于人类的遗传，可以从门德尔法则得到下面重要的结论。有许多种疾病和疾病的因素，其遗传性质现时已经确定，也可能断定某一些遗传品质，依门德尔的说法，是优势的，或是退守的。例如，几乎所有可能遗传的畸形和皮肤病和可能遗传的新陈代谢病，都是优势的品质；而诱发精神错乱的遗传因素似乎是退守的。一种退守的遗传，倘非双亲同具，便不表现出来。例如，假如一个并未显然患病只赋有可遗传的病的因素（一种退守的精神病的因素）的人，与一个来自健康的家系的人结婚，那种退守的遗传不会在他们的后嗣身上表现出来，但可能一代一代地继续传下去。直到有一天，一个来自有遗传因素的家系的人，与另一个来自具有同一因素的家系的人结婚，虽然父母两人都不患精神病，而这种病却要在他们的子嗣身上表现出来。[1]因此，所有前代患过精神病的人，当考虑结婚时，应当调查意中人的祖先是否有过精神病的现象。像这一类的问题，以及关于一般遗传病的问题，成为结婚顾问所一个适当的研究题目。虽然许多遗传学上的意见依然是假设的，不过就已经知道的来说，结婚以前，仔细调查对方的家系，是应有的手续。假如拟议中的结合，大有生育身体或精神不健全的子女的可能，常识和基本道德不许可这样的结婚。与这些见解密切相关的是，把我们遗传学上的知识用于配偶的选择以改良种族的企图。说到这里，我们便进入优生学的范围，留待下一章讨论吧。

[1] 参考一九三一年伦敦出版的包尔、费雪、林兹合著的《人类遗传》。——英译者注

第二十二章　优生学与种族卫生学

优生学与种族卫生学的信徒想用人类的意志来控制生育。赞成由种族中特殊优秀的分子生育的唤作“积极的优生学”，阻止劣等分子生育的唤作“消极的优生学”。在我们的知识的现状下，在现存社会制度下，在消极优生学领域比在积极优生学领域更多可能性。阻止疯人、癫痫病人、习惯性罪人等繁殖他们的同类——用阉割或结扎输卵管的办法——当然是可能的。一九零七年三月九日，美国印第安纳州议会通过“禁止习惯性罪人、白痴患者、痴钝患者、犯强奸罪者生育法案”，从那时以后，同样的法案已经由美国若干州定作法律，付诸实行。过去有人反对强迫癫痫病人、疯人、醉汉等绝育，他们的理由是，这种被列作“劣等”的人，过去时常是天才者的父母。不拘如何，借了使某一些不受欢迎的分子绝育以改良种族的理想，是值得加以讨论的。

积极的优生学是消极的优生学的复本，它的目的是，借了配偶的贤明的选择，男人们和女人们应当用力增加具有特别优良遗传倾向的人数。许多赞成积极的优生学的人们反对节育，反对故意限制后嗣数目。一九二八年，在哥本哈根的性改良大会中，雷恩巴哈（Leunbach）宣说，一方面使人类最优秀的分子缩减子女的数目或绝无子女，另一方面却由着劣等分子无限制地繁殖他们的种类，这种情形不能不使优生学者恐慌。不过，如我们已经指出的，在现存的经济状况下（在德国及其他各地），对那些有耳可听的人宣传多嗣主义是没有用处的。正因为优秀分子是有智力的，有敏锐的责任意识的，在一个贫困流行的世界上，他们怕生很多子女。在因适当的限制生育使世界上多有空隙以前，在这个过渡时期完结以前，爱儿心（philoprogenitiveness）——一种很普通的本能——不能畅遂发展。优生学家忧虑劣等分子繁殖，担心优秀类型和优秀种族的节育行为会使这些优秀分了绝迹，这好像医生劝告赤贫的痨病患者去瑞士疗养院一样徒然。换一句话说，不到社会状况改进到有智力的人们信任他们所生育的儿童能得到满意的物质条件和健康环境，以及一种适当的精神环境，优生学，作为一种实施的政策，是认不得真的。

话虽如此，优生学者依然有事可作。在消极的优生学方面，有一种立即可行而多受忽略的主张，值得广大的注意，便是，避免近亲属结婚。经验告诉我们，同种繁殖，具有许多共同祖先的人的结婚，与不同血统的人的结婚对照起来，有一种生育患许多病态遗传的后嗣的倾向。例如，由于网膜发炎造成的夜盲症，在同血统的儿童中格外多见。色盲症，各种畸形症，主要见于近亲属所生的儿童中。犹太人中间绿内障和网膜炎的流行，大致由于许多世纪来犹太族的近亲属结婚。精神错乱症在犹太人中间格外多见，也由于这缘故。从兄弟姊妹所生的儿童多患这一类的和其他种类的遗传病，表明优生学的宣传在这一方面的需要是很大的。

假如提议结婚的两造中有一造正在患痨病，这种结合是否适当，应当加以很认真的考虑，假如两造都患这种病，那就更需要考虑。我们没有意思说，痨病患者永远不应当结婚。这种病有许多患得很轻而且容易医好，若说痨病患者都不许结婚，乃是不合理的。这种病的本身是不遗传的；不过得病的先天倾向一定可以遗传，假如两造都患有遗传的病向，那就格外容易遗传。这种人的子女大致有一种容易得病的体质，生有狭而长的胸部，很容易染上痨病。假如一造或两造的病都是进行性的，情形当然更坏，因为，在这种情形下，不断有受传染的可能。因此，凡自知患有遗传的痨病倾向的人，在结婚以前，都应当请求专家指导，假如他们的病在进行中，那就格外应当那样作。不应当忘记，一个患痨病的女人，虽然病情不重，在怀孕、生产、授乳的紧张下，她的病大致会变得更加是进行性的，结果对母子双方都极端危险。

提议结婚的两造若同具极端神经衰弱或极端歇斯底里症的遗传倾向，从优生学的见地来说，这样的结合是应当受劝阻的。假如男女双方家庭历史上都有过显著的精神错乱症，尤其不应当结合。我们不能期望法律会有一天干预此类问题。我们但希望优生学的宣传领导社会注意这问题，使患危险的遗传倾向的人情愿断绝生育。但法律可以把交换健康证明书规定作结婚的初步手续。

这样至少有一种教育的影响。唤醒适当的责任意识，诚然是一种缓慢的过程。对血族通奸现有的道德的敌视，经过几千年的时间，才成为根深蒂固的。在荷马的诗里，在各民族的古史里，我们发现很多证据，证明过去把兄弟姊妹间发生性关系看作十分合理十分合法的。因此，在时代的进程中，社会心理会发生一种变化，使某种性冲动的表现可以受控制。我们不得不抑赖这种社会心理的变化。国家不能干涉自然；国家只能帮助散播知识，只能发挥一种教育影响。关于这一方面的工作，国家必须信赖科学家的观察和实验，必须避免先入的见解，必须学习不带偏见地来解释自然法则。

弗雷尔（Forel）用原形质损坏（blastophthoria）这个名词指明某一些影响的效果，他相信这些影响可以直接损坏遗传原形质及其染色体。据弗雷尔的见解，有一些环境的影响可以在配合以前损坏人类的生育细胞。这种“原形质损坏”生出类似遗传病的现象。真正的遗传病是由微胞（determinants）造成的结果。这些微胞有的占优势，有的处于退守的状态，存在于祖先的遗传原形质中，不由于环境的影响。但弗雷尔相信，遗传病可以由原形质损坏发生。原形质细胞在配合以前被环境的影响所损坏，结果会成为可以遗传的。弗雷尔格外用力说明与纵酒影响有关的原形质损坏。他相信，纵酒者的精虫和卵被他们血液中循环的毒素所损坏，因此纵酒者的儿童大致是白痴、癫痫患者、矮子，等等。不过他主张这种损坏不以第一代子女为限；由父亲或母亲或父母双亲酒精中毒造成的原形质损坏性的白痴、癫痫患者、矮子，等等，纵然他们自己是终生禁酒者，大致要生育脑力薄弱或癫痫的后嗣。遗传原形质已经永远受损坏，一种遗传的病向已经成立了。因为弗雷尔的学说创立在许多年前，关于酒精发挥原形质损坏影响的证据，已经收集了很多。因此，用力劝告在生育时期或生育前不久戒酒是大有理由的，连略微的纵酒也应当避免。依照流传的习惯，在结婚宴席上，不仅客人们喝很多酒，新郎新妇也照样喝。就优生学的立场来说，这种习惯应当受严厉地斥责。爱尔文 · 包尔（Erwin Baur），高德斯密，及其他诸人最近的实验证明，在酒精以外，有各种毒素，连 X 光等也在内，都能使遗传的品质发生显著的变化，也可以造成新的品质。这些理论的总的结果，使遗传原形质不变的假定发生动摇，使遗传品质不变的假定发生疑问。

进一步来说，从性道德的观点来说，酒精普通地扮演一种丑恶的角色——淫媒和鸨母的角色。各种性的罪犯都与纵酒有密切关系；这种麻醉剂纵然是很小的一部分，特别在容易感受它的效力的人，都足以松弛道德的控制力。酒精是一种麻醉剂，同时是一种兴奋剂，会使喝酒者忘记或忽视花柳病传染的危险，作为一种兴奋剂，它增加性的要求，但作为一种麻醉剂，它时常减低性的享受，“它引起了愿望，但夺去了动作。”——如《马克白斯》[1]中的看门人所说。逐日有无数青年人，在很轻的酒醉状态下，忘记了他们所有良好的决心，同一些女人发生性关系，若非他们的感觉性被酒弄迟钝，他们连作梦也不会接近那样的女人。同样一个女人，在一种略微的兴奋状态下，随随便便地委身给一个男人。由于酒精这淫媒和鸨母，造成花柳病传染和不情愿的怀胎，像这种可悲的例子是不计其数的。实际上，大多数受花柳病传染的人，很少由于喝了大量的酒，仅足使一个人

[1] Macbeth——莎士比亚的剧本。——译者注

觉得高兴和畅快的一点点酒也就够了。

由此可知，不拘在影响后嗣方面（遗传病或貌似的遗传病），在危及性关系的控制力方面，酒精的效力都是有害的。酒精是卖淫和犯罪的主要支柱，也成为一种尽人皆知的事了。不过，我们不能为了这些理由赞成由国家无保留地禁酒的主张。在各时代，在各民族中间，都习惯采用或此或彼的麻醉剂。法律的力量从来不能禁绝这一类的放纵；美国“禁酒”失败的经验，足供他国主张禁酒的人反省。借了教育的力量，逐渐转移社会心理，使青年人和容易被酒诱入性的放纵途径的人，自动憎恶纵酒，似乎比禁酒的法律有效得多。正如近年来不厌不倦的医学家努力使大学学生明了，淋病断乎不是一种小毛病，不应当把它看作一种达到成人的凭据，我们在纵酒方面也应当用进步的教育工作和提高的运动兴趣来加以改革。

第二十三章　结婚指导

由于重视社会卫生的人们的努力，年来结婚指导所已经〔在德国〕建立起来。假如普通男人和普通女人把这些地方的人员（两性开业医生）看作没有空想偏见的人，认为他们足以调和社会利益和求教者的个人幸福，这种机关才能久而久之发生功效。在任何特殊情形下，劝人结婚的指导者（以为没有可以反对的理由），永远不应当忘记，虽然具有绝顶的专门技能，再加上对世界对人类品格的深远知识，也无法预先知道多年结婚生活中可以发生的种种纠纷。因此，指导者的工作应当限于研究有意结婚的双方的病患史和家庭史，特别注意退守病患的可能性，必须时，应当对将来儿童（如果有的话）可能有或必然有的遗传病作有力的警告。有一些优生学家主张，假如有意结婚的男女双方患同一遗传病，他们的结婚不应当受禁止。他们说，这是具有一种退守的因而是潜伏的病倾向的人。假如我们反对他们结婚，我们的主张被接受，这两个人迟早要同别人结婚，于是这种退守的倾向就要存留在他们的儿女身上了。鉴于改良植物和改良动物者“淘汰”疾病的办法，这两个人结了婚不是更好吗？这两个结了婚的人当然应当断绝生育（用扎起输卵管的办法）。这些著名的慈善家说，照这样，上述的病态遗传可以渐缓而确定地从人类种族中除去，于是人种的品质可以确定地改良。我们认为仔细批评这一类的空想是多余的。这些办法的可笑，表明虽然有现代科学的进步，中世纪炼丹家的幻想依然在我们中间存留，我们不能用这种办法影响大自然“生育逆转”的动作。

事实上，为了后嗣可能患病或其他原因，劝人不要结婚，我们不相信结婚指导者能有很多成就。不过，鉴于现代节育运动的流行，他们当然可以，在许多这类情形下，用力说明避孕的重要，假如为了公众的利益非常需要避孕的话。这些指导所的另一种用途，应当是，察觉结婚前尚未完全医好应当继续治疗的花柳病人。也可以指导酒精中毒者、痨病患者、神经病患者、有麻醉剂瘾者去就高明的治疗。

那么，这些结婚指导处可望终于发展成为国家机关或市政机关，如伦敦的诺曼·海尔的节育指导所，劳工阶级的女人们可以在那里受正当节育方法的指导，在一定的时间这些指导所可以进一步成为指导打胎的机关，假如从社会的或优生的观点看来打胎是应当的手段的话（当然这要在关于打胎的法律修改以后）。母亲子宫里的孩子，与她的牙齿、头发、思想不同，不完全是她个人的私产。这不是自我保存的动机的结果，乃是种族保存的动机的结果，种族的自爱的结果，因此它不属于种族选定的容受者，不属于儿童从中发展的特殊的女人的身体。结果，国家，作为超个人的种族利己心的体现，在管理儿童上，据我们看来，具有凌驾一切的权利，因为儿童是种族的自爱的产物。但国家不但有权利，也要负责任。国家的责任是保证所有公共意志新生的体现得到同等满意的养育。在现存的社会状况下，国家并未充分认识这一种责任，也没有完尽这一种责任的可能。不过，它至少可以用力在下列两者间取得一种折中的办法：它在一方面希望有充分适当的儿童，使种族的存续可以维持，它在另一方面却无力为所有社会分子提供满意的养育条件。

因此，国家不能听任各个孕妇随意选择打胎的时间、方法和地方。应当照苏联已有的设置，国家设立机关，由专家从事打胎的指导，打胎的必要或起于继续怀孕足以危及母亲的健康，或起于将来无养育儿童的适当经济力量，或起于有使儿童早夭的遗传病，或起于因强奸而怀孕，在未及法定年龄被诱怀孕，等等。打胎如起于各个母亲的任性，由非专家或法定机关以外的地方进行，据我们的看法，依然是一种应受惩罚的罪行。

我们相信，这样一种改良会使贫困和人类痛苦大见减少，会促进一代人类的发展。由于这一代人遗传素质的健康，生产率减低和人口绝灭的恐怖也就没有了。依照一定的程序，这种结婚指导所大有可能成为指导应否打胎的机关。据我们推想，这些指导所的功用应当朝这个方向发展（或许在遥远的将来）；因此，我们觉得，要使许多人在选择配偶上受这些指导所的影响，可能性依然是小的。相信恋爱的人们肯听指导的人，完全不知道爱情的性质！若在不再热烈相爱的普通结过婚的人们，如布鲁诺所说他们不再是把利己心融入保存种族的热情的熔炉中的配偶，已经成为思想和感情分裂而进入原始的个人主义的利己心的领域的人们，对于这样的人，情形是不同的。倘非有一种强固的理智的结子存在（或由于经济的或社会的共同利益，或由于对儿童的共同爱情），到起于种族保存的冲动的初期热爱冷却以后，许多丈夫和许多妻就要需要同情的指导了。于是结婚指导所一定可以完尽一种有用的功能，假如所中用人得当的话。对于过去是爱人后来“不过是夫妻”的人们（不再有任何内在的结子），不得不坦白地承认，一种不再是真正的结婚的结婚，单是外在的理由不足加以保持。在这种情形下，简便和迅速的离婚是合理的，普遍同意这办法不过是时间问题。

第二十四章　一夫一妻制

何种性冲动和何种性生活对个人和对社会最为适当呢，我们愿在本书结尾一章发表我们的意见，爱情是一种自然现象，两性结合是一种社会学上的文化上的表现，在以前各章中，作者诚然时时有机会用力发挥这种观点。关于结婚问题和性的改良问题——这是现世界十分悬心的问题，也是近年来到处用口用笔讨论的问题——现时我们要把我们的主张作一种有系统的申述。

正如人与人的性格有很大的差别，也正如气质和先天倾向是极端不同的，人类的性欲也是各不相同的，所以断定什么是“正常的性欲”是很困难的，纵然不是不可能的。固然，所有人类都在某种有力的冲动下（色情的、占有的、贪得的、专断的，等等）思想和行动，所有人类都受自我保存的要求所鼓舞，但在人与人之间，这种根本调子受有不同陪调无穷无尽的影响，所以任何权威也不能为男女性生活规定最适当的法则。最大的希望是提出一些理想的主张，借助于我们现有的科学知识，指示给大家，对人类社会大多数分子，对个人的和一般社会的共同利益，似乎最适当的主张是怎样的。正如所有这一类的理想，是我们可以用力争取的，却不是我们可以完全达到的。不过，承认有一种理想，以及不断地加以争取，却是我们不可少的。那么，关于性行为的理想究竟是什么呢？

据本书作者看来，把一夫一妻的结合当作正常人类的性理想，似乎是不可争辩的。本书作者赞成马蓝云（Maranon）的话："本能的骚动唯一有效的解救来自用爱情结合起来的配偶。……诚然，一个男人可以从多妻制得到快乐，关于这一点，世界上有无数的例子。……不过这种快乐要以无数女人的痛苦和羞辱作代价才能得到。因此，依据性的和个人的自私心提出的办法是要不得的。一个不满足于仅与一个男人结成性关系的女人，倘不变成一个禁欲主义者，就要变成一个麦萨来娜；[1]

[1] Messalina——五世纪罗马帝国皇帝克劳狄乌斯（Claudius）的姘妇。——译者注

倘不与没有价值的男人们合作，她也不能成为一个麦萨来娜。”

由于以上的见解，我们十分不赞同下列“性改良家”。他们主张，正如男人主张和实行多妻一般，把多夫行为的权利给予女人，这样，一般男人比女人富于多偶的倾向，反之一般女人比男人富于独偶的倾向，由此发生的困难可以免除——结果，类似杂交的行为就要成为当代的性理想了。我们认为（完全不谈道德），这样一种解决是不自然的，从生物学的立场看来，必须加以驳斥。一个女人的天职过去是，现在是，将来也必然是，生育和照顾儿童。据进化论上说，人类处在动物界最高的地位，是一切生物的冠冕。纵然我们不接受这种见解，我们依然觉得，女人方面的多夫行为或杂交行为，显示人类一种退化。至于男人比较富于多妻倾向，女人比较富于多夫倾向，这一种差异可以用简单得多的也完全无害我们种族的办法来补救。由于爱他们比较富于独偶倾向的配偶，男人们把他们那多偶的冲动加以控制，是非常容易的（至少在绝对多数的男人），也是完全无害的。男人们可以放任一切色情冲动，女人们则不许作同样的事，像这样的“性道德的双层标准”，是从来受思想高尚的人们的憎恶的。鉴于现时女人们所达到的地位，也鉴于她们所得到的同等权利，反对性道德双层标准的传统的斗争，乃是一种自然的必要的企图，借此除去女性奴役制最后的遗迹。扫荡过去时代最后的记忆（在那一个时代，一个女人不过是一个不负责任的所有者的动产）。不过，若作为这种正当的反双层标准斗争的结果，把男人们一向在性问题上主张的和实行的权利给予女人们，我们觉得（我们以生物学家的身份来说，不以道德家的身份来说），一定要引起灾害的。正当的解决是除去男性的放荡。

简而言之，说男人们有时必须违反一下一夫一妻制，女人们必须加以宽容，是没有理由的；说男女双方有时时改变配偶或无条件纵欲的同等权利，更加没有理由。倘若男女双方富于艺术气质，也是非常特出的人物，在这种特殊情形下，一方容许另一方性行为失检，他们建立在共同的或利己的或智力的趣味上的结合可以继续和好下去。但就一般的来说，假如实行现代许多作家的主张，一夫一妻制时时杂有多夫多妻的行为，像这样一种结婚，迟早必归于破裂。因为，什么是结婚呢？结婚是一个利己的男性与一个利己的女性建立在相互性吸力上的共同关系。如布鲁诺所写："一种纯正的结婚是由男女双方的利己心的密切结合造成的，结合之后，男女双方皆不把他或她的利己心看作他或她特有的，因为双方把它看作一种共同的利己心了。"但布鲁诺往下说，由于男人的性的禀赋，一个结了婚的男人，向他的妻以外的女人寻求性的满足，他所破坏的不是"结婚"，只是他和他的妻间的"爱情的结子"——以为他破坏结婚的见解是错误的，错把结婚和性爱看作一种东西了。布鲁诺主张，结婚仅把独偶的义务加在女人身上，假如她在她的丈夫以外与别的男人发生关系，她便实实在在地破坏了结婚，也断绝了爱情的结子，因为她不仅是一个不忠于丈夫的妻，也是不忠于子女的母。

关于爱情和结婚的性质，我们虽然大体上同意布鲁诺的见解，但在这一点上我们不同意他。我们固然同意，丈夫方面的乱交行为不如妻方面的乱交行为严重。那是因为妻比丈夫更容易宽容和饶恕对方的不贞，也因为，我们觉得，妻方面的不贞在家庭的保全上远比丈夫方面不贞危险。此外，似乎依然有许多女人对丈夫偶然的不贞完全漠不关心。话虽如此，主张男女在性行为上应享同等自由的当然结果，必然是，女人的不贞，与男人的不贞相同，也仅止断绝爱情的结子，而不至破坏结婚。总起来的结果是使整个社会受害。纵然一个男人的品格比一个女人的品格少受偶然乱交的影响，也不应该忽视，由于女人比男人富于独偶的倾向这事实，假如她的丈夫与别的女人发生关系，她会把这行为看作一种迫害。

这种专有的愿望不仅建立在健全的本能上，也建立在防止花柳病的传染的愿望上。别的不说，假如一个丈夫热心于性的变换，忽略沾惹花柳病然后传染他的妻的危险，大足危及结婚和结婚的幸福。因此，我们以为，唯一正当的途径是一贯地趋向纯正的一夫一妻制，只有男人方面自动地屏绝乱交的行为，才能达到这个目的。马蓝云说，结了婚的夫妇能达到永久的完满的一夫一妻制的比例依然是很小的。他的话固然不错。不过纯正的一夫一妻制依然是人类前途唯一健全的理想。追求异性的努力愈精炼，愈提高，愈“升华”，愈少把性当作唯一的吸引力。一个男人所要寻求的不仅是若干性的品质的体现，乃是“一个配合他自己的特性他自己的男性本能的一个人，一个女人”（马蓝云）。

我们认为，一夫一妻制，不拘对男人或对女人，都是理想的结婚形式，所以我们必然反对近年来提出的各种改变过的结婚形式。无限制的混交之违反文明，过去已经说得够多了。谈到别的一些办法（在一定限度内使结婚保持现存的形式，但对男人的多妻本能和女人的多夫行为加以不同程度的宽容），我们可以首先提到“三角”结婚的办法。（有一些《性改良家》主张“四角”结婚，在一百多年前，叔本华写过一篇“四人制”的论文；别人则主张大规模的团体结婚）。我们对这些办法的批评是，结婚是两个人的利己心的交织，也是两人身心最密切的结合，加进一个第三者来，这种交织和结合便成为不能，若加进几个人来，就更加不可能了。即使主张三角结婚、四人制、团体结婚的人也不否认，在我们现存的社会制度下，儿童的照顾和教育，以及家庭生活的道德，已经受了很大的危害。林德塞（Lindsey），作为一种试验结婚的办法，提出的“伴侣”结婚，我们也不认为会有什么益处。关于林德塞的见解，我们只有一种间接的知识，不过我们了解，因了他所说的伴侣制，一个青年男人可以借了父母津贴收入或年青的妻的共同收入来结婚，把生小孩延迟到家庭收入足用的时候。这不就是现时实际上流行的早婚吗？（另加上试验结婚的坏处？）所谓周尾结婚者，夫妇不住在一起，只在星期尾发生性关系，这办法也可以在这里提一下。把这种办法当作结婚，显然是一种名词的矛盾。这不过是一种不固定的爱情结合，一种“偷情”或“私通”的变相，这种办法有时可以造成真正的结婚，但不过是例外而已。

本书作者对性改良家所主张的增加离婚便利这一点，却从另一方面表示同情。确属不幸的结婚关系下的配偶，应当比往昔增加分离的可能性，道理是自明的。只有误解结婚的重要性质的人，才不肯承认，夫妇双方利己心的结合为一必须是自动的，假如两个人只有表面上的结合，精神的基础不复存在，硬要他们住在一起，维持结婚关系，乃是非常不合理的。在许多情形下（或非在所有情形下），随着肉体关系断绝而来的必然是结婚关系的断绝。

在结束本书时，我们不惜重复来再三说明，当我们谈到结婚时，我们所想到的不仅是由宗教或国家承认的一种结合。思想自由意志坚定的人们有时可以本着自动的同意维持一种结婚关系。不过，对于大多数人，即使专为了法律上的理由和遗产的关系，他们自己的利益和社会全体的利益，都可以因官方的承认，得到最好的保障。即使在社会主义的苏联，结婚依然是由国家登记的一种结合，依然是一种官方承认的制度。作为官方承认的一种制度的结婚，必然是任何社会秩序最重要基础的一部分，必然是一切号称文明民族的文明基础。

译后记

本书乃德国布士克（Buschke）和雅各生（Jacobsohn）两医学博士所作，经伊登·保罗和西达·保罗（Eden and Cedar Paul）两夫妇译成英文，现在的译本便是由英译本转译的。关于著者的生平，本书中不曾提到，译者也不能从别处知道，纵然有介绍的必要，也只好暂时从略。至于英译者，一定有许多读者觉得面熟，原来近年在中国颇为流行的《资本论》（*Das Capital*）新译本，便是他们夫妇的工作。听说伊登·保罗也是医生，但对社会科学很感兴趣；他翻译现在这本书，可以说回到他的本行。

本书英译名为 *Introduction to Sexual Hygiene* 直译应当是《性健康》（或《性卫生导论》），但因"性健康"或"性卫生"已经成为一种滥调，许多以色情的诱惑图利的译作，时常冒用这两个名词，本书的性质既然完全不同那一类的东西，所以译者特意避开直译而采用一个比较严肃的译名。如著者在“引言”结尾所说，本书是为青年男女写的，显然多带“教育”的意味，而其中的立论又多从批判旧时流行学说出发，所以他们的见解可以说是比较“新”的。综合这两个理由，译名作《性教育新论》，我相信是十分贴切的。

市上陈列的性学译作（翻版书中也有很多），与别科著作比较起来，数量不为不大。不过，翻看一下，便觉得这些著作多是从个人的或享乐的观点出发，其中含有不少夸张的幻想的非科学的成分。偏重个人，其流弊足以妨害社会的发展，民族的存续；偏重享乐，其流弊不免成为纵欲，以至戕生。最低限度，这些著作是与各国占国民最大多数的劳动大众完全无涉的。本书著者对这种种流弊和缺点在本书中负起了矫正的任务。因了这个缘故，平素不治医学的译者，不惜事倍功半地加以介绍；翻译《资本论》的英译者特特译出这一部书，想也不是无故的吧。

作者说，“爱情是一种自然现象，两性结合是一种社会学上的文化上的表现”，他们像这样把自然科学和社会科学统一起来。但他们究竟是医生，是自然科学家，所以他们又说；

“我们的性生活，何者需要改良，何者可以改良，只能由自然的法则来决定。哪，这些法则的发现和了解，纯然是一种科学上的问题，与政治无关。假如性改良家揭起政治的旗帜，只能使这问题混淆，……”作者的话当然是有感而发的，不过，把科学与政治对立，不免是一种语病。政治本身是一种科学，是从客观的社会现象出发的。但因社会现象（尤其是政治）与自然现象不同，其发展过程往往是曲线的，迂回的，在专治自然科学的人看来，遂容易得到一种非科学的印象。至若借了政治的名义来便利私图的政客，正如借了科学的名义来骗取财物的江湖医生，那是又当别论的。

本书英译本出版于一九四零年，原著当然更早，似乎在第一次世界大战的影响还存在的年份。所以作者说，“历史教训我们，在大的战争和经济动乱以后，在那种过渡时期，堕落的现象格外容易表现在性生活的领域。”

凡是经历过第一次世界大战的人，经历过俄国十月革命的人，经历过中国大革命的人，对这几句话，不能不加以恳切的承认。“一杯水主义”等理论虽然成为过去，但许多当时的男女青年（尤其是女的）因这些理论所受的伤害并未过去。现当第二次世界大战终了的时候，但愿现代的我国男女青年惩前毖后，耐心读一读这一个译本。

一九四五年九月十日记

三联经典文库第二辑简目

《游击战教程》　明凡 / 著

《游击战术纲要》　陶剑青 / 编著

《汪精卫卖国的理论与实践》　钱俊瑞 / 著

《抗战以来》　韬奋 / 著

《陕行纪实》　楚云 / 著

《随军散记》　沙汀 / 著

《被日寇囚系半载记》　王研石 / 著

《倭营历险记》　房沧浪 / 著

《活跃的新西北》　田影 / 编著

《保卫华北的游击战》　刘清扬　陈北鸥等 / 著

《徐州突围》　《徐州突围》编委会 / 编

《沦亡的平津》　长江　小方等 / 著

《淞沪火线上》　胡兰畦等 / 著

《瞻回东战场》　长江　罗平 / 著

《东线的撤退》　胡兰畦等 / 著

《抗战中的西北》　徐盈 / 著

《鲁闽风云》　徐盈等 / 著

《西线生活》　西北战地服务团集体创作

《中国解放区见闻》　［美］福尔曼著 / 朱进译

《全面抗战论》　潘汉年 / 著

《日本的间谍》　范士白自述 / 尊闻译

《日本大陆政策的真面目》　国难资料编辑社 / 编

《民众动员论》　李公朴 / 著

《中国外交史》　钱亦石 / 编著

《太平洋军事地理》　蒋震华 / 著

《世界经济地理讲话》　思慕 / 著

《列强军力论》　［德］马克斯·威纳尔著 / 宾符　仲持　梅益等译

《近代国际关系史》　张铁生 / 著

《太平洋现势手册》　沈志远　石啸冲 / 编著

《近代世界政治史》　钱亦石 / 著

《从战争到和平——一九四五年的世界政治》　乔木 / 著

《战后日本问题》　思慕 / 著

《最近一年间的国际动态（1946.7–1947.6)》　《东北日报》社 / 编

《论政党》　翟放 / 著

《法与宪法》　韩幽桐 / 编著

《中华民国宪法刍议》　罗家衡 / 著

《民主·宪法·人权——作之民》　费孝通 / 著

《宪法论初步》　潘念之 / 著

《对反民主的抗争》　韬奋 / 著

《农村改进的理论与实际》　江恒源 / 著

《上海产业与上海职工》（上下）　朱邦兴　胡林阁　徐声 / 合编

《陶行知教育论文选辑》　陶行知著 / 方与严编

《中国通货膨胀论》　杨培新 / 著

《中国及其未完成的革命》　H·普拉特著 / 蒋天佐译

《中国的建设问题与人的训练》　卢作孚 / 著

《论中国特殊性及其他》　艾思奇 / 著

《中国经济问题讲话》　钱俊瑞　徐雪寒　王渔邨　姜君辰　骆耕漠 / 合著

《中国经济的道路》　许涤新 / 著

《中国财政之病态及其批判》　孙怀仁 / 著

《官僚资本论》　许涤新 / 著

《五四运动之史的评价》　陈端志 / 著

《中国通史简编》（上下）　中国历史研究会　范文澜 / 主编

《论文学的工农兵方向——读〈在延安文艺座谈会上的讲话〉》　雪苇 / 著

《中国近代史（上编　第一分册）》　武波 / 编著

《文学百题》　傅东华 / 编

《中国史学之进化》　周谷城 / 著

《论民族形式问题》　胡风 / 著

《论批评》　荃麟等 / 著

《中国史纲》（第一卷上下、第二卷上下）　翦伯赞 / 著

《近代中国思想学说史》（1–4）　侯外庐 / 著

《中国政治思想史》（上下）　吕振羽 / 著

《中国哲学史纲要》　向林冰 / 著

《中国政治史讲话》　钱亦石 / 著

《中国社会经济史纲》　王渔邨 / 著

《新财政学大纲》　千家驹 / 著

《太平天国革命运动论文集——金田起义百周年纪念》

华北大学历史研究室 / 编

《理性与自由——文化思想批评论文集》　胡绳 / 著

《战斗者的诗人》　黄药眠 / 著

《国语文法》　曹朴 / 著

《教育哲学》　张栗原 / 著

《妇女问题讲话》　杜君慧 / 著

《婚姻 · 子女 · 继承》　沙千里 / 著

《性教育新论》　布士克　雅各生合著 / 董秋斯译

《狱中杂感》　杜重远 / 著

《七人之狱》　沙千里 / 著

《爱迪生传》　伍况甫 / 译

《歌德自传》（上下）　歌德著 / 思慕译

《尼赫鲁自传》　[印度] 尼赫鲁著 / 毕来译

《列宁传》　[苏] 凯尔任采夫著 / 企程　朔望译

《罗斯福总统传》　C. Mackenzie 著 / 张尚之译

《托尔斯泰传》（1–3）　[英] 阿尔麦 · 莫德著 / 徐迟译

《革命文豪高尔基》　［美］亚历山大・康恩著 / 韬奋编译

《鲁迅纪念特辑》　新中国文艺社 / 编

《回忆鲁迅先生》　萧红 / 著

《人民文豪鲁迅》　平心 / 著

《亡友鲁迅印象记》　许寿裳 / 著

《鲁迅思想研究》　何干之 / 著

《鲁迅研究》　夏征农 / 编

《过来的时代：鲁迅论及其他》　雪峰 / 著

《电影戏剧表演术》　洪深 / 著

《日常心理漫谈》　［美］约瑟夫・查斯特罗著 / 曾宝施译

《心理常识漫话》　朱智贤　杨云美 / 著

《读书的方法与经验》　王任叔 / 著

《美国黑人生活纪实》　［美］加德维尔　斯坦倍克著 / 董秋斯译

《初访美国》　费孝通 / 著

《事业与成功》　［美］马尔腾著 / 汪原放译

《萍踪寄语（初集）》　韬奋 / 著

《一生的幸福前途——〈生活周刊〉信箱选集》　生活书店 / 编选

《深刻的印象》　生活周刊社 / 编

《海外的感受》　生活书店编译所 / 编